お母さんと子どものヨーガ

木村慧心［監修］
野坂見智代［著］

東方出版

お母さんと子どものヨーガ ● 目次

目次

序　章

一　人間は逆立ちした植物である

ギリシャの哲人として有名なアリストテレスは、『長命と短命について』という著述の中で、「人間は逆立ちした植物だ」として次の如く述べています。

「植物の根は人間の頭に相当する。人間の胴に相当する部分は茎や幹である。そして、人間の下半身にある生殖器が植物の花に相当する。人間の子供が生まれることは、花が実になり、種子となることに相当する」

こうした古典的な考え方がある一方で、現代の医学の中にも「人間は植物性器官と動物性器官とで造られている」と考える学者もいます。

例えばこの場合、動物性器官とは、複雑な心の働きのもとになる脳や神経などの諸器官であるとか、人間を動き回るようにさせている筋肉などの運動系の諸器官であるとされています。

また、植物性器官とは、胃腸や肺などの消化・呼吸系の諸器官であるとか、心臓などの血液・脈管系の諸器官、それに膀胱や子宮など、泌尿・生植系の諸器官であるとされています。こうして見てみますと、女性の妊娠から出産に至る一連の生命活動は、動物性器官ではなく、主に植物性器官に関係した生命活動であると言えるわけです。

こうした植物と動物の違いを考えた場合、例えば、私達のように最も進化した動物であると考えられている人間の場合は、実に様々なことを考えながら生きていますが、杉や松といった樹木や、野の草や水中の植物などの心の働きは、人間に比べれば極めて少ないか、または、ほとんど心の働きなど持たず生きていると考えられています。植物の場合は、考えるために必要な神経や脳が発達していないからです。

しかし、そうした複雑な心の働きなど持っていなくとも、植物はそのもとから持っている生命活動によって、根から水分や養分を吸収し、光を受けて光合成をおこなっています。いにしえの哲人をはじめ、現代の科学者達の中には、人間の女性の妊娠と出産ということを、植物の開花から結実へと至る生命活動と同じであると考える人がいるわけです。

しかし、文明が進歩するにつれて、現代におけるお産はかってのような女性の自然で自主的な生命の営みではなくなってしまい、医療関係者にすべてを管理されておこなうような主体性のない営みへと変えられてきてしまっていると考える人々も出てきています。勿論、現代においては異常出産や、新生児の衛生管理などへの配慮に関しては、医療面からの助けを借りて多大な改善がなされました。例えば、新生児の死亡率や出産時の母体の事故率の減少は劇的なものがありましたから、いちがいに医療面から出産への関与が弊害をもたらしているとは決して言えないと思います。しかし、あまりに管理され、出産日時まで陣痛促進剤で決められてしまうような状況の中では、むしろ、かって女性達が「産む」という自然な本能を持ちつつ主体性を持って子供を出産したように自分も子供を産みたい、という気持ちを持つようになることは、よく理解できると思うのです。

こうして、あまりに管理されすぎた出産から、自然で自主的な出産を求める動きは、高度な物質文化が進み、人間性の喪失が叫ばれるようになった一九六〇年代のアメリカから生じてきました。それは、女性の権利を再確認するウーマンリブ運動や、ヒッピー文化、ニューエイジ運動といった言葉で呼ばれていましたが、イギリスにおいてもジャネット・バラスカス女史がアクティブ・バース（能動的出産）と呼ばれる出産法を提唱しています。これは女史の夫が行じていたヨーガ体操をヒントにして、女史が「ストレッチ体操」と名付けて妊婦達におこなった出産準備教育でした。かつて、女性達が、自分が最も快適に感じる姿勢をとり、自然な体の動きのままに出産していた事実になぞらえて、ストレッチ体操の体位をあらかじめ妊婦に訓練させて、楽な出産の準備をさせるものでした。

しかし、肉体的訓練だけでなく、出産に臨む時の妊婦の心の訓練までが含まれる出産準備教育が必要とされるはずです。こうした肉体と精神両面にわたって出産準備教育を施そうとする意図をもって考え出された方法がかつてありました。それは、フランス人のラマーズ博士がロシアの科学者であったパブロフ博士の条件反射理論をもとにした、心理的無痛分娩法でした。しかし、この方法は妊婦の自然な本能を引き出すというものよりも、むしろ、妊婦に「こうあらねばならない」という心の強制を加えるものであるとの批判も、出てくるようになってきていました。こうした動きの中で、現在世界的に注目を浴びてきているのが、五千年の歴史を持ってインドで行じられてきているヨーガの各種行法を妊産婦に行じてもらう「マタニティ・ヨーガ」なのです。

二　自然な本能を引き出すヨーガ行法

自然で楽なお産をするには、頭の中であれこれ考えず、意識レベルを下げて心をあまり働かせず、なおかつ、自分の肉体や心の状態をうまく捉えて制御できるようにすることが大切だといわれています。それは、これらの低い意識レベルと身心状態の把握が子供を産むという本能をうまく引き出してくれるからです。これを別のいい方にしますと、人間の持つ動物性器官の働きを低く押さえ込むと、その分、生殖器能という植物性器官の働きがよくなり、子供を産むという力が自然にわき上がるようになってくる、ということです。

例えば食事の時、動物性器官たる脳や神経の働らきを活発化させて、心を激しく動かしながら食事をしているようでは、植物性器官たる胃腸がうまく働かずに、食べた物がうまく消化されなかったり、腸の働きが悪くて下痢を起こしたりするのと同じことです。他の例としても、心の中で恐れの思いが強くなると、植物性器官たる心臓も興奮して血液を多量に送り出すようになり、毛細血管も細く収縮してしまい、その結果、血圧が高くなり過ぎたりするのも同じことです。ですから、妊娠から出産に至る一連の営みの中で、脳や神経といった動物性器官が働き過ぎるようでは、胎児を育て、産むという生殖作用に何らかの強すぎる影響が加えられることは容易に想像できるはずです。強い憎しみの心を持ちつつ妊娠の期間を過ごせば、胎児の成長に何らかの影響が出てくるでしょうし、又は、出産時の陣痛に心のバランスを失ってパニックになったりすれば、自然なお産とはいえない危険な状況に直面することも考えられます。ですから、なおのこと、人間の動物性器官の働きである脳や神経の働きをうまくコントロールして、心の働きを上手に抑え込むことを妊産婦の皆さんが身につけることが望まれるわけです。

実は、こうした動物性器官の働きを低く抑え込む目的のために造りあげられた方法が、インドには伝えられているのです。それが今から五千年も前からインドの一部の人々によって行じ続けられてきている「ヨーガ」という行法なのです。

それでは、何故インドの一部の人々は、動物性器官の働きである心の働きを低く抑え込み、むしろ植物性器官の働きである自然の力を引き出すヨーガの行法を考え出したのでしょうか？　その理由は、五千年前に都市国家として栄えたインダス文明の社会状況から類推できるのです。例えば、当時この地方一帯には降る雨が少なくなり、現在でもそうですが、砂漠化してきていましたので、それまでの採集狩猟の生活ができずに、作物を自分達で栽培する農業をし始めていました。しかし農業には水が不可欠ですので、水を常時得ている者は沢山の収穫を得て富み、そうでない者は貧しい生活を余儀なくさせられていました。こうして財力に勝る者が弱い者をますます支配していく社会の仕組みが造り上げられるようになったのです。現在の私達が住む社会も、こうした競争社会の延長上にあります。ですから、私達も子供にできるだけ他人に敗けないような体力や知力を身につける訓練を施しています。

こうした競争社会が現われ始めた時、インドの一部の人々は、もっと別のやり方で心穏やかに暮らしていくやり方を見つけ出そうとしたのです。それがヨーガを行じつつ生きるヨーガ行者の生き方だったのです。現在でも「持てる者は悩みも多し」といわれていますが、持てる者は失うものも多く持っているわけですから、より激しい栄枯盛衰の渦の中に巻き込まれてしまうものです。心の安らぎとか身の安全を確保するために、沢山の財物を集めたのに、かえって、それが不安の材料になったり、我が身を滅ぼす原因になったりするわけです。それは、いずれは失われるようなものをいつまでも手元に確保しておこうとするからだ、とインドの一部の人々は気づいたのです。それよりむしろ、いつまでも失われることのない「生命そのもの」と呼ばれているもっと安定した心安まるものの方向に、心の働きを向けるように努力すればよいのではないか、というのがヨーガの考え方なのです。インドの人々は、この「生命そのもの」のことをアートマン（真我）とか、ブラーフマン（梵）という名前で呼んでいました。これを現代風にいえば、私達の生命活動を支えている「生命そのもの」とでもいえると思います。これは、宗教的な言葉では「仏性」とか「神性」とか呼ばれているものと考えてもよいと思います。こうした根本的なものに自分の心を結びつけておこうとするのがヨーガなのです。ですから、妊産婦の皆さんが、新しい生命をこの世に産み出すという、極めて「生命そのもの」に関係する重要な営みを今おこなおうとしている時に、これまで五千年もの間おこなわれてきたヨーガのやり方を覚えて実践すれば、安心してお産に臨めることがよくおわかり頂けると思います。そればかりでなく、このヨーガの考え方を知っていれば、皆さんの大切な子供さんを一人前の大人へと育てあげる時も、報われることのない競争の渦の中に無理矢理に押し込めてしまわずに済むはずです。むしろ、他人と争わないばかりか、あらゆる人々や事物と心安らかに調和して生きられるような心を持った心豊かな人間として、子供を育てあげられるはずです。それがひいては、私達が現在住む社会に対しても、多大な貢献をすることであると思われるのです。

三　ヨーガの行じ方

外の世界と調和する

皆さんは、大切な生命をお腹の中に宿しているわけです。そして、これから数ヶ月間その大切な生命をはぐくみ、この世に産み出し、さらに上手に育て、社会にあって他の人々や動植物と仲よく生きていける人間とさせる役目を仰せ付かっています。先にも述べたように、こうした皆さんの大切な役目を果たす上で、ヨーガは非常に役立ちますので、ここでは、次の章からの実践編に先立ち、ヨーガの基本的な行じ方を簡単に説明しておこうと思います。

五千年の歴史を持つヨーガは、この百年間ほどの間に、社会や人種、宗教や生活習慣の違いを超えて、全世界に伝え広められるようになりました。人間のある一つの営みが、人々の様々な違いを超えて全世界に広まっていった例は、他にあまりないと思います。それほどヨーガは、誰にでも必要とされていることを伝えているということですし、誰にでもできることなのです。先にも述べましたが、ヨーガは自分の外にある人々や「事物と競争」するのではなく、「調和する」やり方を具体的に身に付けされてくれます。別のいい方をすれば、私達を外側の世界と争う動物的生き方から、さらに進んで環境と調和する植物的な生き方へと導いてくれますし、やがては、「生命そのもの」たる永遠の世界へと導いてくれるのです。そこでヨーガの教える調和するやり方を簡単にお伝え致します。

ヨーガではまず最初に、自分の外にある社会の中にあって、他の人々と調和するやり方を教えています。こうした対人調和は、妊産婦さんにとってはとても大切なことです。例えば、夫とか親、兄弟姉妹と争う心を持ちつつ、我が子を出産する時の妊産婦の植物性器官が健やかであるはずがありません。ヨーガでは、他の人々との調和を身につけるために、次のような心を持って日常生活を送りなさいと説かれています。それは、

「自分が他人にかけた迷惑をこそ、毎日数え上げて生活しなさい」

「他の人からして頂いたことを数え上げなさい」

「他の人に自分が何か分け与えることができたか、毎日自分を調べながら生きなさい」

ということです。ヨーガ本来の修行法は八つの段階に分けられているのですが、今、説明したのは、第一段階のヤーマ（禁戒）と呼ばれている対人調和をもたらすやり方です。このやり方と反対の考え方をしていると、回りの人々と争いばかり生じてくることはよくわかると思います。例えば、

かけられた迷惑を数え続ける

自分がしてやったことだけを数え続ける

他人に奪われたことだけを考え続ける

ですからもしも皆さんが、上手に出産に臨み、さらに子供をうまく育て上げようと思うならば、ヨーガが具体的に説く、外側の世界との調和を実現させてくれる前者の考え方を持って、毎日の暮らしができるようにして下さい。そうすれば先に説明したように、皆さんの動物性器官の働きは静まり、それと共に、胎児をはぐくむ植物性器官がよく働くようになるはずなのです。

ヨーガの次の段階では、対物調和ということを教えています。このやり方は、ヨーガの専門用語ではニヤーマ（勧戒）と呼ばれていますが、そのやり方では、他の事物と調和して生きる仕方を教えています。そのために私達は次のような心を持って、日々生活を送りなさいといわれています。

「まず眼の前に起きた出来事を有難く受け入れなさい」

「その上で足らざる所があれば、不可能はないと思ってよく学び努力しなさい」

「生命のそのものが常に私達を生かし下さり、支え下さっていることを信じなさい」

こうしたヨーガの教えは今日までの何千年もの間、ヨーガの修行者達を通じて、一般の人々の中に伝えられてきています。それは例えば、非暴力主義と呼ばれる政治的信条を持って、インドをイギリスから独立させたガンジー翁の政治哲学の中にも生かされていたことはよく知られています。

さらにヨーガでは、私達の肉体内で調和を実現させるやり方を教えてくれています。それが第三番目のヨーガの体操、第四番目のヨーガの調気法です。特に妊産婦である皆さん方のためによいとされているその具体的なやり方を、次章より取り上げておきましたので、そのインストラクションをもとにおこなって下さい。これらヨーガの体操と調気法が肉体に与える効果については、これまで七〇年間にわたって、多くの医学者達が研究してきています。それによれば、肉体内の生理的な働きとして大切なホルモン分秘や神経の働き、免疫の働きがよくなることが確かめられています。ですから、過剰なストレスによって動物性と植物性両器官という身心のバランスを崩してしまった患者さん達が、これらヨーガの体操や調気法をおこなうヨーガ・セラピー（療法）によって癒されています。今や、その数は世界で年間数万人の単位となっているほどです。ですから、胎児を育て出産するという生殖の機能もよくなるのです。さらに、このヨーガの体操と調気法を行ずる時、妊産婦の皆さん方に自然と身につく大切な能力として「身体感覚の自覚」ということがあります。お産の時などは特に、こうした身体感覚を的確に自覚して、自分で陣痛をコントロールすることが大切であるといわれていますが、これらヨーガの体操と調気法を行ずる時には、自分自身の肉体の感覚や呼吸の状態に意識を向け続けることが求められていますので、自然と身体感覚がつかめるようになってくるのです。

こうして皆さんが、これらヨーガのやり方を数ヶ月にわたって身につけていけば、お産の時でも、自制心を失ってパニックになることもありませんし、さらに、自己犠牲を強いられる子育ての期間中にあっても、自分の心の状態を上手に捉えて、自制しつつ、ゆとりを持った子育てが可能になるはずなのです。

以上、私達の外の世界と関わる対人・対物の調和と、肉体や呼吸作用に関するヨーガの教えを説明致しましたが、次に、私達の内なる世界である心とか、生命そのものとの調和をはかるヨーガの行じ方を簡単に説明致します。

内の世界と調和する

ここでいう内側の世界とは、私達の心の中とか、「生命そのもの」の世界ということです。今皆さんの体内に宿っている赤ちゃんは、皆さんの生命と一体の生命として生きているはずです。ですから皆さんの心が不安定になれば、その影響は直接ホルモン等の変化となって胎児に伝わりますし、安らかな幸福感に包まれれば、胎児の生命もそうした安らかさの中にあるはずです。また、皆さんの生命が危険にさらされれば、体内の赤ちゃんの生命も同時に危うくなるはずです。こうした生命相互の関連性についてインドのヨーガ修行者達は、私達の身体内に働く生命と、地球の自然も含めて、星座などの大宇宙を動かすように働いている生命とは同一のものであると述べています。つまり、母体と胎児の生命が同一のものとしてつながっているように、私達人間の個人の生命も、自然や大宇宙に満ちる宇宙の生命と直接結びついているというのです。こうしたヨーガの智慧は、例えば、地球の自然環境の破壊によって、私達人間の生命も危険にさらされるといった事実からも、その相互の関連性が近年よく理解されるようになってきていると思います。ですから、自分の内側に宿って働く「生命そのもの」をより深く自覚できたヨーガの修行者は、あらゆる人々をはじめ、動植物と自分とを区別することなく一体として見るようになるといわれています。こうしたヨーガ修行者の思いはちょうど、一年近くも一体の生命として暮らした母子が、終生にわたって、生命の一体感を持って生き続けることからも、想像していただけると思います。勿論、巣立ちとか、一人立ちといった母子分離の時はありますが、それはあくまで、生活環境といった外的な世界での分離です。しかし、こうした外的な分離があっても、心の奥深い「生命そのもの」の次元では、母子の一体感は消え去らないはずです。こうした不変の一体感を、もしも私達が我が子に対してばかりでなく、他の人の子供達にも、さらにはすべての人々にも、あらゆる生物、無機物にまでも持てるとしたら、それは人間の心があらゆるものと調和している一つの完成した人間の姿と呼んでも差し支えないといえると思います。こうした完全なる調和の心を持つに至った人物は、特に宗教の世界でよく見いだすことができます。そうした人物は、聖者としても尊敬されています。例えば、中世ヨーロッパの頃に、イタリアのアシジという町に生きた聖者フランチェスコ師が、小鳥達とも話をして深く心を通い合わせたというようなことも世に広く語りつがれています。こうした自然や宇宙と完全に調和する境地に達した心広き人物は、これまでにも、この世に数多く生まれ出ていると思いますが、今現在、その体内に「生命そのもの」を宿しているこことを自覚している皆さんも、そうした心広き人物に成長できる素晴らしい機会が与えられているといえるのです。それというのも、かつての聖人達が自分の内なる「生命そのもの」と調和した時に、あらゆるものと一体感を持つに至ったわけですから、皆さんも、体内に宿った胎児を通して、皆さんの内なる「生命そのもの」を自覚すればするほど、心豊かな人物へと成長できるはずだからです。インドではいにしえより、こうした内なる「生命そのもの」に向けて心を結び働かせることを「精神修行（サーダナ）」と呼んで、人間の大事な営みの一つと考えてきていました。そして、この精神修行の内でも特に大切にされていたのが、静かに座して自分の心を内なる「生命そのもの」に向ける瞑想（ディヤーナ・禅那）でした。ですから、ヨーガ修行者達はすべて、この瞑想を行じて「生命そのもの」に自分の意識が結びつくようにさせ、その時、あらゆる事物と完全に調和する完成した人間になるべく精神修行を積んできたのです。ですから現在、インドは勿論、世界中の多くのヨーガ関係者達が、医療、福祉分野の奉仕活動を初め、教育・環境保全などの社会奉仕にその力を向けていますが、それもうなずけることです。このように、皆さんも是非、体内の「生命そのもの」を通して、あらゆる生命の尊さ、そして、体内の生命と同一の生命が満ちる大自然や大宇宙の素晴らしさに心を向けて瞑想して下さい。この世のすべては一体であり、もしもそれぞれのものが個々に分離した存在と見えるのは、その真の有様を見抜く智慧が足りないからだとヨーガではいわれています。ですから皆さんも、体内の赤ちゃんを通して「生命そのもの」に心を向けて瞑想して下さい。その具体的なやり方については、実践編で説明致します。

また、それと同時に皆さん自身に与えられた素晴らしい役目も自覚して下さい。いわば、皆さんは、万物を創造される「生命そのもの（神様）」の御手の一部となって、新たな生命を誕生させる機会が与えられたわけです。そうした宇宙に満ちる大いなる「生命そのもの」の営みの一部を、今、皆さんが担っていることを誇らしく思って下さい。こうして、皆さんの心が、大いなる「生命そのもの」と調和する時、皆さんの肉体は勿論、心も魂も深い安らぎの状態に入るはずです。どうかこれから数ヶ月間の妊娠期間中は勿論のこと、陣痛によって始まる分娩の時も、さらには、子育てや成人するまで続くお子さんの教育期間にあっても、常に大宇宙にあまねく存在する「生命そのもの」へと心を結びつけ、あらゆる事物と一体感を持ち続けて下さい。そうした思いは、皆さんに宿っている胎児の生命へと伝わり、その子の心もまた、あらゆる人々や事物と調和して生きていける、尊い人間の心となって開花するはずです。これが母なる皆さんとお子さん達とが共におこなうヨーガの目指す目的地なのです。

第一章　ヨーガを始めるにあたって

一　ヨーガの効果と究極の目標

ヨーガをしていますと、体は元気になり、心はすがすがしく、そして、頭がクリヤーになることが感じられます。近年より、医師や心理学者達も、ヨーガが肉体や精神面、さらには魂レベルまで人間に恩恵を与えるという事実に着目しており、学会発表や著書などを通じて、ヨーガの解明や応用を推進しています。そこで、現代科学の場で発表されてきた事柄もふまえ、ここではヨーガの様々な効果、そして究極の目標について述べていきます。なお、さらにマタニティ・ヨーガ、産後のヨーガ、母と子のヨーガについてのそれぞれの特徴や効果は、各タイトルで記しておりますので、合わせてご参照ください。

＊体の健康

肩凝りや腰の痛みは、多くの場合、血液が停滞していることに起因しています。ヨーガの場合、体を適度に動かす体位によって、その部分の血液循環がよくなりますので、凝りや痛み、だるさが解消され、スッキリとした気持ちよさが感じられます。

また、体位や呼吸法を実践することにより、副交感神経の機能が増大することが明らかにされています。現代の日本では、あわただしい日々を過ごす人が多く、交感神経の過剰な刺激により自律神経失調症となる場合も多々ありますが、ヨーガをおこなうことによって日頃の緊張感はゆるみ、自律神経が整うとともに、全ての神経系が強化されていきます。甲状腺、脳下垂体、松果腺などの内分泌腺ホルモンを整える作用もあります。

以上のように、ヨーガは、血行を促し、ホルモン分泌を正常にし、神経系を整え、免疫の働きをよくし、体の自然治癒力を高めていく作用がありますので、自ずと体も健康となっていくのです。

＊精神面での健康

ヨーガをした後には、くつろいだ心地よさ、非常に満ち足りた気持ちが味わえます。不安、緊張、疲労感や怒りの感情、および気分の落ち込み（抑うつ）が減り、反対に、快さや充足感に満たされ、元気が出るという、これらヨーガ実践による精神への影響は、主に一九七〇年代より心理学的な研究によっても確かめられてきていま す。また、自己概念は望ましい方向へと高まる、自己概念と理想の自己とが調和される、社会との食い違いが小さくなるのように、自分の心の中の調和、そして外界との調和も明らかにされています。このようにヨーガの実践を継続することにより、自他との調和が保たれていき、自然と生きることが楽に、生活の中でも幸福感や充実感がより味わえるようになっていきます。

＊体や心のコントロール

心身と呼吸とは、密接な関係にあります。何かに集中している時、ふと呼吸が止まっていることにお気づき方もあるでしょうが、集中している、心が静まっている時には、呼吸もゆっくりと、あるいは静止しています。反対に、意識して呼吸をゆっくりすると、あがりそうな時でも心を落ち着かせることができます。ヨーガは、この呼吸と心との密接な関係に着目し、「呼吸を意識的にコントロールすることで、心をおだやかにさせる方法」であるところに、大きな特徴が見られます。

また、呼吸をゆっくり深くおこなうだけでも、血圧や脈拍数は下がります。高血圧症や心臓疾患の方は、休息のポーズでゆったりとした呼吸をすることにより効果が得られます。なお、熟達した修行者ともなると、心臓をほとんど動かないようにできる人もいますが、その時の呼吸は、非常に遅く（数分に一回）なっています。以上のように、呼吸によって心身のコントロールが可能となるのです。

休息のポーズの際には、呼吸をゆっくりすると同時に、さらに吐く息ごとに心身の力を抜いていく練習を繰り返していきますので、日常生活の中でも、体の力を抜いたり、心をリラックスさせることが可能となります。特に、この体の力を抜くことは、痛みの緩和にもつながります。交通事故で脚を手術した時、歯の治療や、子宮の内診の際、「ゆっくりとした呼吸を意識しながら、体の力を抜いたところ、痛みは思ったほどひどくなく、病院の先生からも筋肉のこわばりがなかったため処置が施しやすかったと言われました」といった、ヨーガ教室の生徒さん達から報告をいただいたことがあります。

＊能力開発

ヨーガ実践後は、心が落ち着き、頭もスッキリしていることが感じられます。呼吸法や体位、瞑想法により、記憶、知能、集中力が高まったり、読解力や語彙力が促進されることが検査によっても確かめられています。

特に瞑想中は、変性意識状態（ASC：altered state of consciousness）として総括されるように、日常生活の意識と異なるひらめきの状態にあるため、気に掛かっている仕事についての展望を得たり、また、人間関係においても相手の背景まで広く見えてきたり、自分のこだわりや弱い部分も冷静に客観的に観察され、ふと、楽になることがあります。このように、瞑想中には、広い視野での考えが思い浮かぶことがあり、自分のことでもそれが他者のように私情を越えた観察がなされるのです。

＊ヨーガ・セラピー

心がなんらかの原因となっている病気は全体の約七割とさえいわれています。ヨーガでは、血液循環を良好にし、自律神経やホルモンの分泌を整え、免疫機能を高めるといった肉体面、そして情緒的にも安定し、さらには人間の生き方という哲学の面も有していることから、病気が改善したり、治るケースが多くあります。医師や心理学者達を中心として、ヨーガ・セラピーの名のもとで様々な病気に治療として用いられ、データの蓄積が進んでいます。高血圧症、虚血性心臓疾患、胃腸系疾患、糖尿病、緊張性頭痛、気管支喘息、鼻炎、癌、精神分裂症、不安神経症、うつ病、幻覚、恐怖症、精神薄弱、アルコールや薬物依存、不正視（近視、乱視、遠視）についての論文が見受けられます。このような、心のストレスが直接の原因とされる心身症や精神病といった疾患に、特に効果が認められています。

代表的な研究施設には、地元インドに、病院やヨーガ大学を併設したカイヴァルヤダーマ・ヨーガ総合研究所（ロナウラ）、およびヴィヴェーカナンダ・ケンドラ・ヨーガ研究財団（本部＝ボンベイ）がありますが、欧米諸国も加えた各国において、ヨーガ・セラピーとしての臨床への応用、そして研究が進められているのです。

＊真の自己「真我」を直感―究極の目標

ヨーガ・スートラでは、次のようにヨーガを定義しています。「ヨーガとは、心の作用を止滅することである（第一章二節）」、「心の作用が止滅されてしまった時には、純粋観照者である真我は、自己本来の状態にとどまる（第一章三節）」。

通常、私たちの心は、休むことなく様々なことを思い、考えながら生活しています。雑事に追い立てられ、一喜一憂し、目まぐるしく日々が過ぎ去ってしまいます。夢の中でも心は忙しく動き、目覚めると疲労感が残っていることさえあります。静かに座って瞑想をしようとしても、慣れないうちは、日常の雑事が思い浮かび、これほどまでに心の中はあわただしいものかと驚く方もあることでしょう。しかし、瞑想をはじめとするヨーガの様々な方法を、毎日すこしずつでも続けていくと、その雑事も薄らぎ、消えていくとともに、ある集中したことだけが感じられるようになります。こうして心が静まっていくと、やすらぎや幸福感に心が満たされた状態となり、自分の根本であるもの、これこそ「本当の自分（アートマン、真我）」だと直感されます。この心の状態は、よく湖面に例えられます。波立っている湖面には、空に月が出ていてもそれを見ることができません。しかし、波が静まっていき湖面が澄んでいくと、そこには既に存在していた月が映し出されるのです。ただ、心の波が静まるだけで、すでに自分の中に存在していた幸福感に気づく。この内なる幸福感は、これからもズーっと続く―と、直感されるのです。普段の生活では、家庭や仕事において、さまざまな役割を演じ、さまざまな自己がいるのですが、この内なる幸福感に満たされている自分こそ、自分の核、変わることのない自分、本当の自分、「真我」と体感されるのです。

こうして、執着、こだわりも薄らいでいき、ついには心が全ての事柄から解放されていくのです。苦悩が存在しない、すべてのものとの一体感―これが「悟り」という言葉で表現されるものなのです。自分の中にある幸福感、充足感こそ、ヨーガ哲学から見た、「完全にバランスのとれた健康状態」なのです。

このように人間の心を真に幸福にさせるという点から、古来よりヨーガは、修行法として、宗派を越えて実践されていました。紀元前三〇〇〇～一五〇〇年に栄えたといわれるインダス文明のモヘンジョダロやハラッパーにおいて、瞑想をしている座像が発見されているように、その歴史は、今から約五千年にもさかのぼることができます。また、釈迦も菩提樹の下で瞑想によって真理を得ていますし、イエス・キリストも瞑想の習慣があったそうです。

以上のように、ヨーガとは、いつも動き回っている心を静めていくことによって、人間に本来備わっている真に喜びあふれる心境へ導く、そして、苦悩のもととなる執着からも解放されるという「解脱」へと通じる方法なのです。

これが、ヨーガ本来の目的なのです。

二　ヨーガの進め方

いつ

＊早朝

朝、起きてから、洗面や排泄を済ませ、空腹時にするのが理想です。ヨーガ体操で体をほぐし、太陽の光を感じながら静かに座っていますと（瞑想）、自然の恵みや心の広がりが感じられ、元気が出ます。これから始まる一日をすがすがしく、積極的に迎えることができます。

＊寝る前

夜ともなると、一日の様々な活動を通じて、心は雑多な思いに満たされ、そして、体もエネルギーが消耗された状態になっています。ヨーガ体操で適度に体を動かし、瞑想をすることで、体の疲れがいやされ、心はおだやかとなり、安眠がもたらされます。

お子さんには、お母さんやお父さんと一緒にするという楽しさとスキンシップによって、安心感がもたらされます。また、親にとってもお子さんとの交流で、ほのぼのとした幸せや平和が感じられることでしょう。

＊食後や入浴後は避けて

その他の時間帯でも、食後および入浴後、少なくとも三〇分間は避けて下さい。

どこで

＊床が平らで、清潔な環境

バスタオルや毛布、薄いマットなどを敷いて、気持ちよく横になれるようにしておきます。なお、寝る前、お子さんとのスキンシップをかねて寝ころがったポーズ等をする場合、布団の堅いものであれば問題はないでしょう。

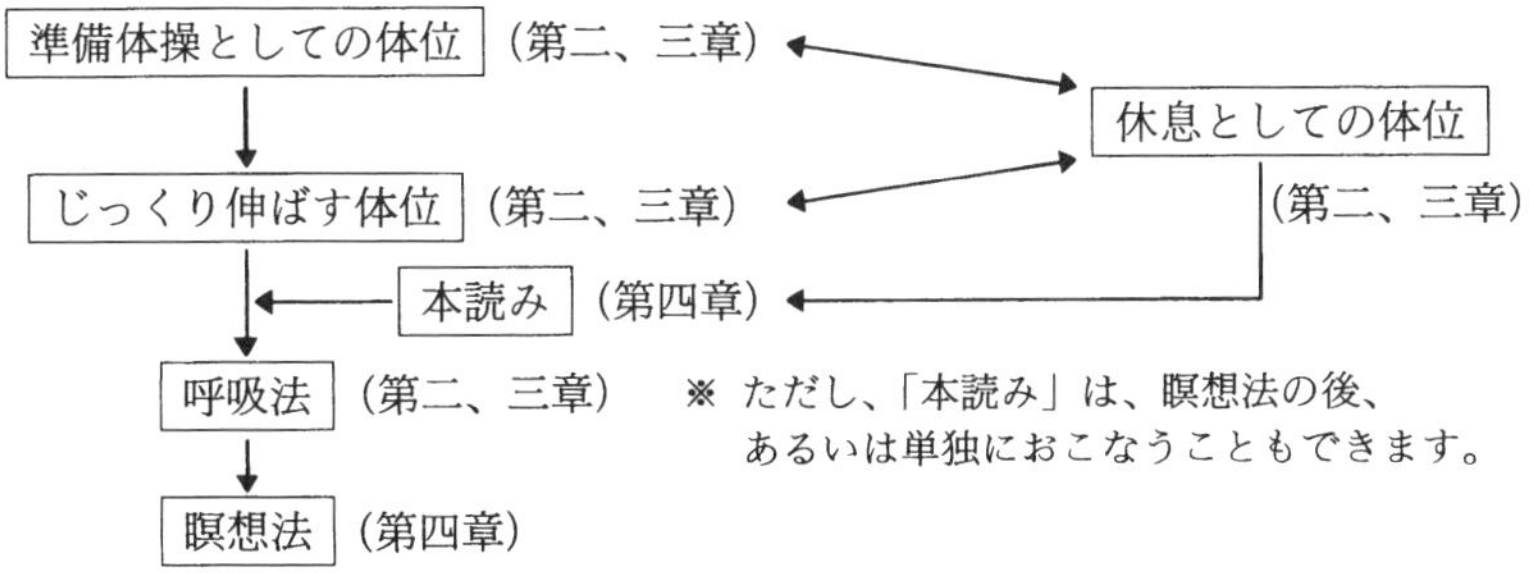

図1　一般的なヨーガ・プログラムの流れ図

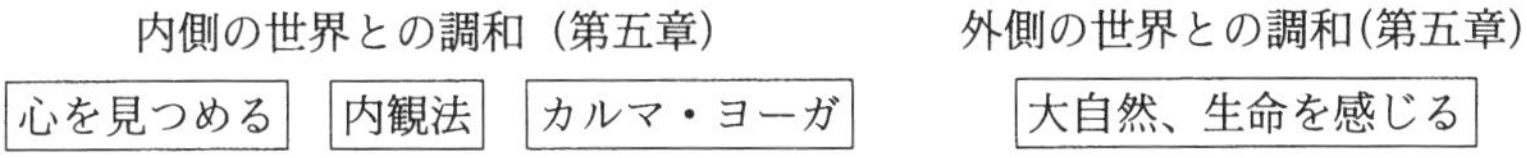

図2　日常生活におけるヨーガ

できるだけ部屋の換気をよくして、新鮮な空気の中でおこないましょう。山、川、海など、自然に恵まれ、空気のきれいな屋外も適しています。その際も、地面が平らな場所を選びましょう。

どのように

本書の「第二章　産前・産後のヨーガ」と「第三章　母と子のヨーガ」では、「準備体操としての体位」→「休息としての体位」→「じっくり伸ばしていく体位」→「呼吸法」→「瞑想用の体位」の順に紹介し、動から静へと流れるよう並べています。**図1**のように、「準備体操としての体位」や「じっくり伸ばしていく体位」のあい間には、「休息としての体位」を入れながら、ほぼ、この順序でプログラムを組んでいくとよいでしょう。

ただし、これら第二章と第三章では、あてはまるタイトルを選んでいくよう構成しています。**表1**を参考にして自分に該当するタイトルを確認してください。そして、ヨーガ実技ができる時間や、体調、そしてお子さんの様

表1　対象者ごとの第二章、第三章の見方

本書タイトル ／ 対象者		第二章 産前・産後の		第三章 母と子のヨーガ				
		(1)マタニティ p.33～	(2)産後 p.50～	(1)スキンシップ p.71～	(2)妊婦に良 p.80～	(3)妊婦も可 p.94～	(4)産後から p.103～	(5)まねっこ p.119～
妊婦	初産婦	◎			◎	○		
妊婦	経産婦と子	◎		○	◎	○		
産後（～7ヶ月）		○	◎	○	○	○	○	○
母と子	母と乳児			◎	○	○	○	
母と子	母と幼児～			◎	◎	◎	◎	○
母（妊娠期、産後以外）		○	○	○	○	○	○	○

※◎がついていれば、まず、それを主に実践してみましょう。○がついているページも適していますので、取り入れていきましょう。なお、紙面の都合上、タイトル名は、いくらか略しています。

子に合わせて選び出したり、繰り返す回数も増減してください。

また、**図2**に記しているように、毎日の生活の中でも次のようなヨーガ実践をしていきますと、生きていく充実感や喜び、幸福感に満たされていき、おのずと育児も楽しめ、周囲の人々との関係もよくなっていきます。

短時間でしたい場合

一五～三〇分といった短時間でヨーガをおこないたい場合は、次のようにするとよいでしょう。この短時間では、生活に組み入れることがやさしいですので、日課としておこなうことをお勧めします。

①体位（アーサナ）　「前屈系」と「後屈系」、「左右の横曲げ系」、「ねじり系」、「逆立ち系」等を念頭に置いて、全身をまんべんなく伸ばすことができるよう、各種一～二ポーズ選んでおこないましょう。なお、短時間の場合、この後すぐに呼吸法、瞑想法へと移りますので、「休息としての体位」は、略してもかまいません。

②呼吸法（プラーナーヤーマ）　呼吸法を一種、おこな

います。

③瞑想法　呼吸法の後、そのまま目を閉じて静かなひとときを味わってみましょう。詳しくは、p.133をご参照ください。

○本読み　瞑想法の後に、「本読み」p.137～143を入れても良いですし、時間に余裕がなければ、単独にあいた時間の中で楽しんでみましょう。

三　ポイント集

＊各種の体位でバランスを

体位の動きは、「前屈」「後屈」「左右の横曲げ」「ねじり」「逆立ち」に、大きくわけられます。このような各種の動きをとり入れ、体のバランスをとりましょう。特に、「前屈」と「後屈」のように反対に曲げる体位を続けておこないますと、両者の効果がより強められます。

また、日常生活では、利き腕などよく使う側が固定されており、知らないうちに左右がアンバランスとなっている場合が多くあります。そのため、左右に曲げたり、ねじったりしてみると、できにくい側があることに気づきます。難しい側を一、二回多くすることで、体のねじれも正していきましょう。

＊体の動きに合った呼吸

ヨーガという行法は、効率よく、それは科学的ともいえる特徴を持っています。体位においても、体の動きに合った呼吸がおこなわれます。しかし、初心者の方には「この動作では、どのような呼吸をしたらいいのか―」と、難しく感じられるようです。そこで、「体位での呼吸の仕方」を表2にまとめました。大まかにでも、ご理解いただき、「今は、肺が圧迫されているから吐くといいんだな―、肺が広がっているから吸うんだな―」と、自分

表2　体位での呼吸の仕方

体位	呼吸の仕方
前屈 ねじり 横曲げ	前に曲げる、体をねじる、横に曲げる時には、吐きながらしましょう。これらの動作では、肺は圧迫され、自然に空気が出てゆきます。また、息を吐くことで筋肉もゆるみますので、無理がかからず、曲がりやすくなります。 もどる時は、反対に吸いながらとなります。
後屈	後ろに反る時は、吸いながらです。後ろに反ることで、胸は拡がりますので、自然に肺にも空気が入ってきます。 もどる時は、反対に吐きながらとなります。

の体を感じながらおこなってみましょう。

また、完成ポーズでは、次のような「自然に呼吸」あるいは「止息」という二つの場合があります。「自然呼吸」の場合は、自然に呼吸しながら、完成ポーズを数十秒～数分間、保ちます。その際、後で述べるように、自分のできるところで保っておき、無理することなくリラックスしながらおこなうことがポイントとなります。「止息」の場合は、息を止めたままで完成ポーズを保ちます。練習を重ねるにつれ、止息時間が長くなるとともに完成ポーズの保持時間も長くなっていきます。

＊体位の効果は、動かしたり伸ばした部分

本書では、一つの体位ごとに効果を記していますが、その主な特徴として、「動かして刺激を与えた部分の調子がよくなる」ことです。伸ばすことにより、その部分の血液循環がよくなりますので、凝りがほぐれ、ひとつひとつの細胞にも十分に酸素を送ることができるようになるのです。実際に体位をしながら、「体のどこが伸ばされているのか、刺激されているのか」と、自分の体を感じながらおこないますと、その効果が初心者の方にも理解しやすくなります。

また、改善したい部分がありましたら、そこを動かす体位を選ぶと効果的です。ただし、痛みがひどい時には休息のポーズなどで安静を、さほど痛くないようであれば気持ちよい範囲でゆっくりと伸ばしていきましょう。

＊体や自然を感じながら

前述のように「体のどこが伸ばされているか」を感じながらすると、その効果がわかるようになります。「体の動きと、肺の状態」を意識しますと、動作に応じた呼吸の仕方が自ずとわかります。このように体を感じながらおこなっていますと、日ごろの体調や、さらには心の状態という自分の内面の様子に気づいていくようになり、心身のコントロールにもつながってきます。

また、「部屋の空間 → 地球という空間 → 光を通じての太陽との空間 → 無限に広がりゆく宇宙空間―」のように、自分を包み込んでいる空間を感じながら、そして、その空間を徐々に広げていくと、心も広がり、のびのびとおこなうことができます。

＊完成ポーズは、緊張をゆるめるように力を抜いたまま、しばらく保つ

上手にできる人を見ると、早く自分も美しいポーズに近づきたいと思い、無理に曲げようとしがちです。しかし、力を入れて筋肉が緊張したまま無理に伸ばそうとすると、筋肉痛まで生じ、とうぶんヨーガもできなくなってしまいます。柔軟となるポイントは、完成ポーズを自分のできるところで保っておき、筋肉をゆるめていくことです。すると、楽になっていくことがわかってきます。この感覚は、同じ体位を続けて一回目よりは二回目、三回目と、繰り返していくうちに実感されます。インドにあるカイヴァルヤダーマ・ヨーガ研究所で使用されているテキストにも「緊張をゆるめるように体位（アーサナ）をおこない、無辺なものへ精神を集中させる」ことが要点として記されています。

＊毎日おこなう

「ヨーガの効果を早期に最大に高めるためには、規則正しく毎日おこなうことであり、また、それが最も早く上達する方法である」と、ディバインライフ・ソサエティ総長スワミ・チダナンダ大師の言葉にもありますが、ヨーガは少しずつでも毎日おこなうことが重要です。効果が早期に現れ、しかも自然に柔軟となっていきます。

四　女性のために

婦人科系（生理中、月経困難、不妊症、子宮脱、失禁、更年期など）

女性は、新しい生命を受胎しその中で育てるという、とても偉大で神秘的な機能を備えています。それ故に、「生理中は、体を動かす体位をしてもいいの?」「婦人科系のトラブルに効果のあるヨーガは?」という疑問を抱く人は少なくありません。そこで、婦人科系の各症状において、「ひかえるべき体位」と「適している体位」を、表3にまとめました。

肩こりと腰痛

現在、「母と子のヨーガ教室」と「お母さんのためのヨーガ教室」を開講しておりますが、そこで訴えられるお母さんのトラブルは、肩こりや腰痛がよく聞かれます。そこで、これらに効果ある体位について、表4と表5にまとめました。

表３　婦人科系の各症状で「ひかえるべき体位」と「適しているヨーガ体位」

症　状	ひかえるべき体位	適している体位
生理中 （出血が多く痛みがある時）	子宮にひどく刺激を与える 水差し p.61 骨盤の収縮&トリバンダ・アーサナ p.62 その場でのランニング p.119 弓のポーズ p.126 お腹ペッコン呼吸 p.130	
月経困難症や月経過多 （苦痛、不規則、多量の出血） 生理の時、出血が少ない 赤ちゃんができにくい場合		ホルモンのバランスを整える 生殖器を活性化 チョウチョ p.85 両足の裏を合わせた前傾 p.86 シーソー p.89 ボートこぎ p.92 お父さん座り p.92 ゆりかごユラユラ p.96 開脚の準備「タンタンタン」 p.97 ジェット・コースター p.98 ケーキをつくろう p.109 コブラのポーズ p.110 弓のポーズ p.126 本格的なお父さん座り p.131 情緒の安定 各種「休息としての体位」 「呼吸法」 「瞑想法」
子宮脱や膣脱 失禁（くしゃみをすると尿が出る） ー産後に生じやすい痔の予防	その場でのランニング p.119	括約筋を強化 斜めの肩立ちで、肛門を閉めたり、ゆるめたりを繰り返す p.59 水差し p.61 骨盤の収縮&トリバンダ・アーサナ p.62
月経前の緊張がある場合 更年期（閉経期）		ホルモンのバランスを整える 全ての体位 情緒の安定 各種「休息としての体位」 「呼吸法」「瞑想法」

表4　「肩こり」に効果がある体位

本書でのタイトル名		肩こりに効く体位	
第二章　産前産後のヨーガ	一 マタニティ・ヨーガ	ルーズニング・エクササイズ	p.36
		横まげのポーズ	p.41
	二 産後に適したヨーガ	腕のストレッチ	p.51
		牛のポーズ2番	p.52
		斜めの肩立ち	p.59
		水差し	p.61
第三章　母と子のヨーガ	一 スキンシップ	肩からのゆすり	p.73
	二 妊婦さんにも良い母と子のヨーガ	お山のトンネル	p.82
		ゾウさん	p.88
	三 妊婦さんもできる母と子のヨーガ	壁でのトンネル	p.95
	四 産後からの母と子のヨーガ	コブラのポーズ1番	p.110
	五 お母さんのマネッコできるかな	弓のポーズ	p.126
		傘	p.127

表5　腰痛などに効果がある体位

症　状	適している体位
腰が痛くて動けない場合	安静 仰向けでお昼寝　p.123
腰の痛みはひどくなく、動くことができる場合	ゆっくりと腰部を伸ばす体位 腰のひねり　p.36 仰向けでの腰のねじり　p.40 背伸びのポーズ　p.54 水差し　p.61 お山のトンネル　p.82 猫のポーズ　p.84 シーソー　p.89 コブラのポーズ1番　p.110 やさしいねじりのポーズ　p.128
痛みはないが、腰痛の起こりやすいギックリ腰を防ぐ	背骨の周囲の筋肉を強化する体位 脚を折り曲げての上体起こし　p.56 ケーキ　p.115 弓のポーズ　p.126
背骨の歪みを正す	腰のひねり　p.36 牛のポーズ2番　p.52 シーソー　p.89 クルッと回るシーソー　p.112 補助をつけたひざ倒し　p.115 太陽礼拝　p.124 傘　p.127
ヘルニヤ	ジェット・コースター　p.98 ボートこぎ　p.109 弓のポーズ　p.126

※　リラックスしながらおこうことがポイントです

第二章　産前・産後のヨーガ

一　マタニティ・ヨーガ　対象　妊婦、腰痛の方

マタニティ・ヨーガの効果

＊妊娠中の不調や疾患を予防

妊娠時には、お腹の赤ちゃんが大きくなるにともなって体重も増加していくため、脚の痛みが生じやすくなります。そして血液循環が悪くなることで、脚のひきつりや浮腫《むくみ》、静脈瘤、妊娠中毒症といったトラブルにも悩まされる場合が多くあります。しかし、ほどよく体を動かすマタニティ・ヨーガをおこなっていきますと、血液循環が促進されますので、これらのトラブルを予防する、あるいは軽くすることができます。また、大きくなっていくお腹を支えることから、腰椎への負荷も大となり、腰痛になることも多々ありますが、マタニティ・ヨーガには優しく腰をほぐすポーズがありますので、こうした症状にも効果があります。

＊胎教として

マタニティ・ブルーに象徴されているように妊娠期は精神的にも不安定といわれていますが、ヨーガは、心をおだやかにさせ、集中力を養いますので、妊婦さん自身が快適でいることができます。さらに、この母親の安定した精神状態は、胎教にもよく、赤ちゃんの脳の発達を促すことでしょう。

＊出産時では、陣痛の緩和、長くいきむことが可能に

いよいよ出産に臨む時、一般には、陣痛が激しい最中、

その痛みから逃れようとして力を入れたまま過ごしてしまいがちです。すると、筋肉は緊張しますので、かえって痛みの感覚も強くなりますし、ひどい筋肉痛が残ってしまいます。マタニティ・ヨーガをおこなってきた皆さんは、それまでのヨーガ実践、特に休息のポーズで練習してきたように、ゆったりとした呼吸をしながら、意識して体の力を抜いてみましょう。そうすると、数時間～数十時間かかる出産において無駄なエネルギーを浪費することなく過ごせます。痛みの感覚もいくらかやわらぎ、筋肉痛にもなりません。赤ちゃんを押し出すという大切な自然の作用である陣痛の波に、リラックスして乗ってみましょう。なお、陣痛の際には、痛みをやわらげるために脳下垂体からベーターエンドルフィンという麻薬物質が分泌されるそうですが、妊娠中に適度な運動をしていたお母さんは、していなかった人より、たくさんのベーターエンドルフィンが出てくるそうです。

お父さん座り（p.92）、**チョウチョ**（p.85）、**両足の裏を合わせた前傾**（p.82）などは、股関節を柔軟にしますので、いきむ時に、両脚を外に開くことも難なくできるようになります。様々な呼吸法の訓練を通じて、長く息むことも可能となります。

プログラム

初産婦さんは、この「マタニティ・ヨーガ」を中心に、また、すでにお子さんのいる経産婦さんは、第三章の「一妊婦さんにもよい母と子のヨーガ」も参考にしながら、体位（数種）、呼吸法（一種）、瞑想（五～一〇分）の合計二〇～三〇分を目安に、食後や入浴後（最低三〇分）を避けておこなってみましょう。

ポイント

＊自分の体や赤ちゃんを感じながら、無理なく気持ちよく

この「マタニティ・ヨーガ」で紹介する体位や呼吸法は、妊娠前期、中期、後期のどの時期においても安心してできるものですが、お腹が張ってきたら休んでください。妊娠期の体調は、通常より変化しますので、今まで気持ちよかったポーズができないこともあるかもしれません。体の状態を常に感じながら、観察しながらおこなってみましょう。不安な点がありましたら、担当医にご相談ください。

お腹には、大切な赤ちゃんがいます。アーサナをする時には、「『お母さんと一緒に体を動かして気持ちいいよ』と、お腹の赤ちゃんが言っているかな?」と、思いを寄せながら、無理なく気持ちよくおこないましょう。

＊できれば毎日

出産を終えたお母さんより、「私は、妊娠中期の終わり頃から、ヨーガを始めました。それまでは、腰痛に悩まされていましたが、ヨーガを毎日少しずつでもするようになってからは体調もよくなり、妊娠後期になっても腰痛はほとんどありませんでした」「毎日、体位と呼吸法、そして瞑想というプログラムを二〇分~三〇分していましたが、一度も腰痛、足のひきつりや浮腫もなく、快適に過ごすことができました」という体験報告があります。体調に問題がなければ、このように毎日おこないますと、心も体も快適に過ごすことができることでしょう。

一般に

＊初心者、腰痛にも

この「マタニティ・ヨーガ」は、体に優しいポーズですので、初心者、および腰痛をはじめとする疾病のある方にも適しています。

＊ルーズニング・エクササイズ

―喘息に、一般プログラムの前半にも

特に、**ルーズニング・エクササイズ**（p.36）は、動作にともなった呼吸をおこないますので、呼吸のリズムが体得され、喘息にも効果があります。また、一般のプログラムの最初に、準備体操として組み入れることもお勧めです。なお、妊婦さんや腰の痛い人は、ゆっくりとジワッと伸ばしていくことが大切ですが、体をほぐしていく準備体操としては、早めにリズミカルにすることがポイントです。

準備体操としての体位

ルーズニング・エクササイズ　手のストレッチ
両腕開閉のストレッチ
足首のストレッチ
腰のひねり

【やり方】

手のストレッチ

○直立します。両手の指を組み合わせ、手の平を胸の前に軽く置きます。

①息を吐きながら、組んだまま、手の平が外に向くようにして両腕を伸ばしていきます。しっかり、肩から手首までを伸ばしましょう（写真）。

②吸いながら、両手を胸の前へともどし、腕の力をぬきます。

○伸ばす位置を、水平→斜め上→垂直と変えながら、五〜数回繰り返します。

両腕開閉のストレッチ

○直立します。両腕をまっすぐ前に伸ばし、前にならえの姿勢となります。

①吸いながら、両腕を水平に外へと開きます。胸を広げましょう（写真）。

②吐きながら、両腕を水平に内へと移動させ、前にならえへともどります。

○五回〜一〇回①②を、繰り返しましょう。

足首のストレッチ

○両足をそろえて立ちます。

①息を吸いながら、両腕は伸ばしたまま、前から上へとあげていきます。同時に、踵《かかと》も上げ、爪先立ちとなります（写真）。

②息を吐きながら、手と踵を降ろしていきます。

○五〜一〇回①②を、繰り返しましょう。

腰のひねり

○両足を肩幅くらいに開いて立ちます。腕は前に伸ばして、床と平行になるようにします。

①息を吐きながら、右側へねじります。右腕は真っ直ぐ、

左腕は体にそわせるように肘を軽く曲げます（写真）。

②息を吸いながら、体をもどします。左右で一セットとし、五〜一〇回しましょう。

○左側でも繰り返します。

【註】

＊これら四つと、**猫のポーズ**（p.87）、**シーソー**（p.85）は、全身を軽くほぐすことのできる**ルーズニング・エクササイズ**として、妊婦さんだけでなく一般のヨーガプログラムにおいて最初にするとよいものです。特に、呼吸をともなった動作を繰り返すことにより、呼吸のリズムが体得できますので、喘息にたいへん効果があり、ヴィヴェーカナンダ・ケンドラ・ヨーガ研究財団においても、その臨床研究が進められています。なお、一般向けには、**その場でのランニング**（p.119）をはじめに加えましょう。

＊**足首のストレッチ**では、あやつり人形のイメージ（両手と頭頂が天へと引っ張られているつもり）ですると、足のふらつきも少なくなります。

【効果】

＊腕を動かす動作をともなうことから、肩や首の凝りに効果があります。

＊喘息に効果があります。

＊「足首のストレッチ」ではさらに足のひきつりや浮腫《むくみ》を予防します。足首を引き締めます。

＊「腰のひねり」では首や胸、腰の背骨や筋肉を動かすため、それらの緊張や痛みを取り除きます。また、骨盤そのものを動かし、ずれを調整します。

両腕開閉のストレッチ

手のストレッチ

腰のひねり

足首のストレッチ

休息としての体位

膝を立てた休息のポーズ

【やり方】

○仰向けになります。

①両足は離して曲げ、足の裏を床につけます。両腕は体の横で力を抜きます。目を閉じます（写真）。

②呼吸は、自然にゆったりとしましょう。

【註】

＊他に、**横向きでのシャバ・アーサナ**（シムスの体位）（p.83）は、お腹が大きくなる妊娠中期から後期にかけては楽な姿勢となります。様々な体位の間には、これら「休息としての体位」を入れ、体と心をしっかりリラックスさせましょう。

【効果】

＊妊婦さんの多くは、背中の下部がひどく曲がっています。この休息では、両足を曲げることで背中下部が床につくため、通常かかっている圧力から解放されます。

＊心身ともリラックスします。

＊深い呼吸をともなうことから、エネルギー代謝が増加し、疲れがとれます。

じっくり伸ばす体位

仰向けでの腰のねじり ［乳児〜］

【やり方】

○仰向けになります。両脚は、曲げて足の裏を床につけて、そろえます。両手を組んで、頭の下におきます。肘も床につけます。

①息を吸って吐きながら、両膝を一方へ倒します(写真)。この時、足の位置を動かしたり、頭を回したり、腕を上げないよう気をつけましょう。

②息を吸いながら、両脚を最初の位置へもどします。両膝はつけたままです。

○同様に反対側もおこないます。左右を交互に三〜五数回繰り返しましょう。

【註】

＊産後にも適しています。妊婦さん以外のお母さんは、小さなお子さんを胸に置き、両手で支えながら、腰をねじっていくことも可能です。

＊なお、同様に体の側面を伸ばす体位で妊婦さんに適しているものには、**シーソー**があります。(p.89)をご覧のうえ、毎日のマタニティ・ヨーガに加えることをお勧めします。

【効果】

＊腹部の筋肉を強化するとともに、ウエストとヒップをスリムにします。

＊背骨を柔軟にします。また、背中下部にある痛みをやわらげます。

＊骨盤付近の筋肉を強化します。

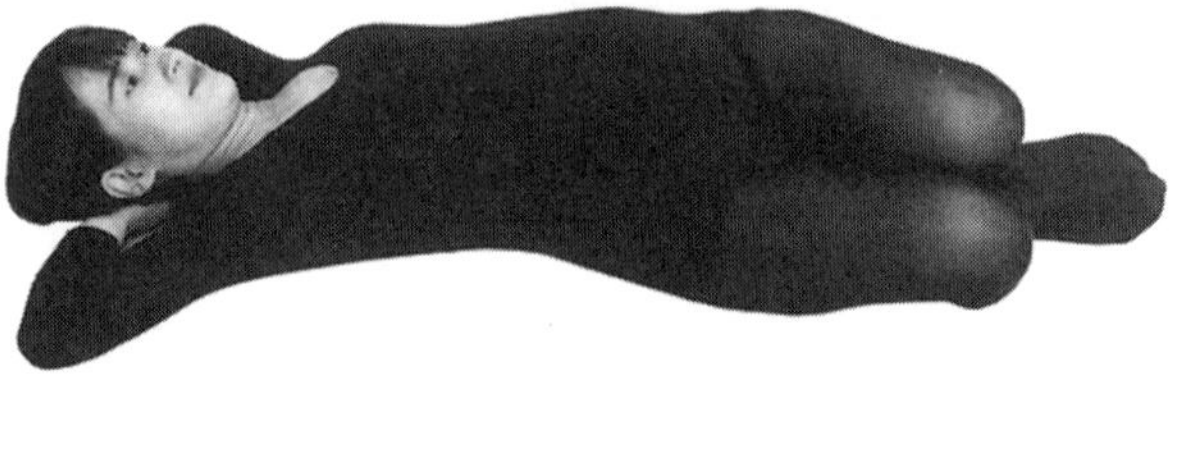

横曲げのポーズ（アルダ・カティ・チャクラ・アーサナ）

【やり方】

○直立し、手は指先まで伸ばし体の横につけておきます。

①息を吸いながら、右手をゆっくりと横から上げていきます。そして、垂直まで上げ、腕が耳につくようにします。手の平を内側に向けます。

②吐きながら、ゆっくりと体を左側へ曲げていくと同時に、左手の平は左脚に沿わせて、下へ降ろしてゆきます。上げた腕は、肘のところで曲がらないようにしましょう（写真）。

普通の呼吸を続けながら、約一分間保ちます。

○息を吸いながら腕を垂直までもどし、手の平も外側へ向けます。

そして、吐きながら体の横へともどしましょう。

○終わった直後は、両脚を肩幅に開いて、目を軽く閉じ、「伸ばした手から肩にかけての感覚（ピリピリ、血液が流れている、温かいなど）」を三〇秒〜一分間、味わってみましょう。

○同様にして、左手も上げ、体を右に曲げながら繰り返しましょう。

【註】

＊腕を上げてゆく時（①②）、その腕を意識しながらおこないましょう。

これを、「線状（二次元）の意識」といいます。

＊腕をもどした時、その筋肉や血液、神経の感覚を味わうことで、体の様子がわかるようになり、緊張や弛緩のコントロールにもつながります。

【効果】
＊伸ばすことで体の側面が柔軟となり、また、肩凝りにも効果があります。
＊腎臓の働きをよくします。

半車輪のポーズ（アルダ・チャクラ・アーサナ）

【やり方】
○直立します。
①手の平を腰にあてます。
②息を吸いながら、腰の部分から後ろへ反っていきます。首の前側の筋肉も伸ばして、頭も後ろへ反らせます（写真）。
普通の呼吸をしながら、しばらく保ちます。
○まず、上体をもどし、そして、直立姿勢へともどります。
【効果】
＊背骨を柔軟にします。
＊脊髄神経を刺激するとともに、頭部への血液循環を促します。

呼吸法

月と太陽の呼吸法
（気道の浄化、ナーディ・シュッディ）

【やり方】
○半跏趺坐(p.92)、結跏趺坐(p.131)、あるいは正座(p.45)のいずれかで座ります。背筋を伸ばし、肩の力を抜きます。目を閉じましょう。

①右鼻を右手の親指で押さえます（写真）。左鼻より息を完全に吐いていきます。そして、できるだけ時間をかけて吸っていきます。

②右鼻を開け、今度は左鼻を右手の薬指と小指で押さえます。右鼻から息をゆっくり吐き、それから、息を吸い込んでいきます。左鼻を開けます。

○①と②で一セットとし、一〇〜二〇回繰り返します。

【註】

＊右鼻と左鼻のどちらにおいても、吸気と呼気の長さを等しく、ゆっくりとおこないましょう。

＊部分的呼吸法とともに、正しいプラーナーヤーマを練習するための基本となるものです。

【効果】

＊動静脈が浄化され、呼吸にともなって血行がよくなります。

＊精神の集中度が高まります。

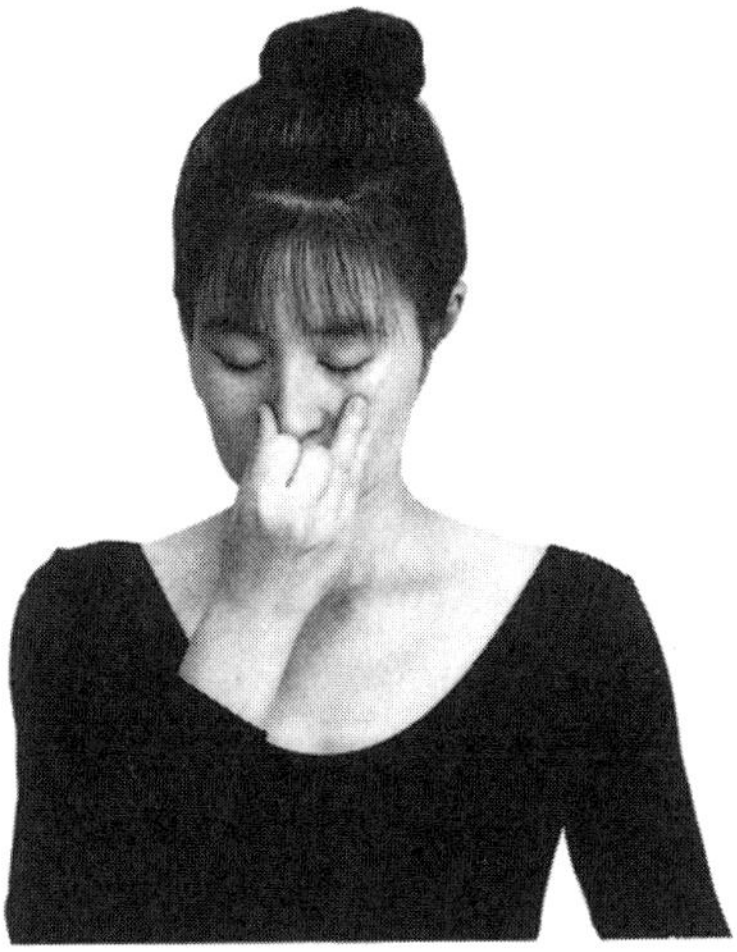

部分的呼吸法　＆完全呼吸法

【やり方】

○正座（p.45）となり、手の平を膝の上に置きます。背筋を伸ばして肩の力を抜きます。目を閉じて、呼吸の様子を感じましょう。

部分的呼吸法

A　腹式呼吸（横隔膜の呼吸法、アダマ）

①まず、息を吐きます。そして、ゆっくりと完全に息を吸っていきます（プーラカ）。この時、肺の下部に空気を入れていくつもりで、腹部をふくらませていきます。

②完全に吸いきったら、数秒間、息を止めます（アーンタルヤ・クンバカ）。

③お腹を凹ませながら、息を吐いていきます。

B　**胸式呼吸**（胸郭の呼吸法、マディヤマ）

①息を吐きます。そして、胸部だけを拡張しながら、ゆっくりと完全に息を吸っていきましょう。腹部はふくらまないよう気をつけましょう。

②数秒間、息を止めます。

③胸部を収縮させながら、息を吐いていきます。

C　**鎖骨部の呼吸法**（アーディヤ）

①息を吐きます。そして、鎖骨部を上げながら、息を吸っていきます。このとき、腹部の筋肉は引き締めたままにしておきます。

②数秒間、息を止めます。

③鎖骨部を下げながら、息を吐いていきます。

完全呼吸

①息を吐きます。そして、腹部、胸部、鎖骨部の順で空気を満たし拡張させながら、息を吸っていきます。

②数秒間、息を止めます。

③吐く息の時も、腹部、胸部、鎖骨部の順で空気を出していきます。

○以上、どの呼吸法も、リラックスした状態で、なめらかに五回を目安に繰り返しましょう。

【註】

＊通常、それまでの日常生活では、呼吸は浅く、肺の一部分しか使っていません。このような腹式呼吸、胸式呼吸、鎖骨部の呼吸法では、それぞれ肺の下葉部、中葉部、上葉部が完全に空気に触れることになります。これらの呼吸法は、**月と太陽の呼吸法**（p.42）とともに、準備的な呼吸訓練として、まず、初めに練習するとよいものです。

＊鼻から吸ったり吐いたりしましょう。

＊複式呼吸ではお腹だけが、胸式呼吸では胸だけが、鎖骨部の呼吸法では鎖骨から肩が、吸うときに拡張し、吐くときには収縮することを意識しながらおこないま

す。慣れるまで、腹部や胸部、鎖骨部あたりに手の平を置き、それを確かめることをお勧めます。

＊妊婦さんに適している呼吸法は、この他、**ストローの呼吸法**（シータリー　p.129）**ウインナーの呼吸法**（シートカーリ　p.102）、**蜂の羽音の呼吸法**（ブラーマリー　p.91）があります。

【効果】

＊呼吸のパターンが整えられるとともに、肺活量も増します。

＊さらに腹式呼吸では、横隔膜のリズミカルな運動により内臓がやさしくマッサージされますので、血液循環が促され、内臓諸機能の働きもよくなります。

瞑想用の体位（座法）など

お母さん座り、正座（バジュラ・アーサナ）

【やり方】

○ひざまづき、両脚の間を少し開けます。

①手のひらは、下にして、それぞれの膝の上に置きます。

②背筋を伸ばし、両腕の力は抜きます（写真）。目を閉じます。ゆったりとした呼吸をおこないましょう。

【註】

＊**結跏趺坐**（p.131）や**半跏趺坐**（p.92）も妊婦さんに良い座法です。同様に、瞑想や呼吸法、あるいは休息として、取り入れてみましょう。

＊なお、瞑想法（p.133）や聖音オーム（p.91）は、心をおだやかにし、広がりをもたらす方法ですので、胎教としてもよいものです。ご参照ください。

【効果】

＊消化力を増進させます。

＊骨盤部と座骨を強化します。また、泌尿器系の疾患を防ぎます。
＊大腿部の筋肉を伸ばすとともに、血液循環をよくし、神経によい刺激を与えます。膝や足首を柔軟にします。

深いくつろぎ&イメージ・トレーニング
（ヨーガ・ニドラー）

【やり方】
深いくつろぎ
○仰向けになり、両足は肩幅、両手は体から少し離した所に置きます。手の平は上に向けます。目を閉じましょう。
①しばらく、ゆったりとした深い呼吸をしていきます。すると、心拍が規則正しくなり、落ち着いてきます。
②次のように「足先から頭へ」と、体の各部分を意識しながら力を抜いていきましょう（写真）。
1両脚　足先→足首→ふくらはぎ→ひざ→もも→付け根と、力を抜いていきます。力が抜けると重たく感じられます。
2体の前面（腹部と胸）　腹部→胃→胸の筋肉をゆるめます。呼吸はおだやかで、とても気持ちいい。
3背中　臀部→腰→首筋へと、脊椎の一つ一つの力を抜いていきます。腰、背中の力が抜けて、床にピッタリくっついているよう。

4両腕　指先↓手の平↓手首↓前腕↓ひじ関節↓上腕↓肩の力が抜ける。

5頭部　首の力を抜きます。あご↓ほほ↓眉間↓額↓頭皮をゆるめます。口は軽く開くままです。眼球も深く休ませます。

○これで、全身の力がぬけた状態となります（所要時間約一〇分）。しばらく、気持ちよいひとときを味わってみましょう（五～二〇分間）。

③次は、いつもの意識状態へと覚醒していきます。まず、呼吸をゆっくりと深くしましょう。自分の中に生命エネルギーが流れていることを感じます。

そして、両腕を頭の向こうの床面につけます。息を吸いながら全身をしっかり伸ばし、吐きながらゆるめます。力が入っていくことを感じながら、三回繰り返しましょう。（まだ、覚醒が充分でない場合は、さらに、両手で握りこぶしを作って力を入れます）最後に、目を開きます。

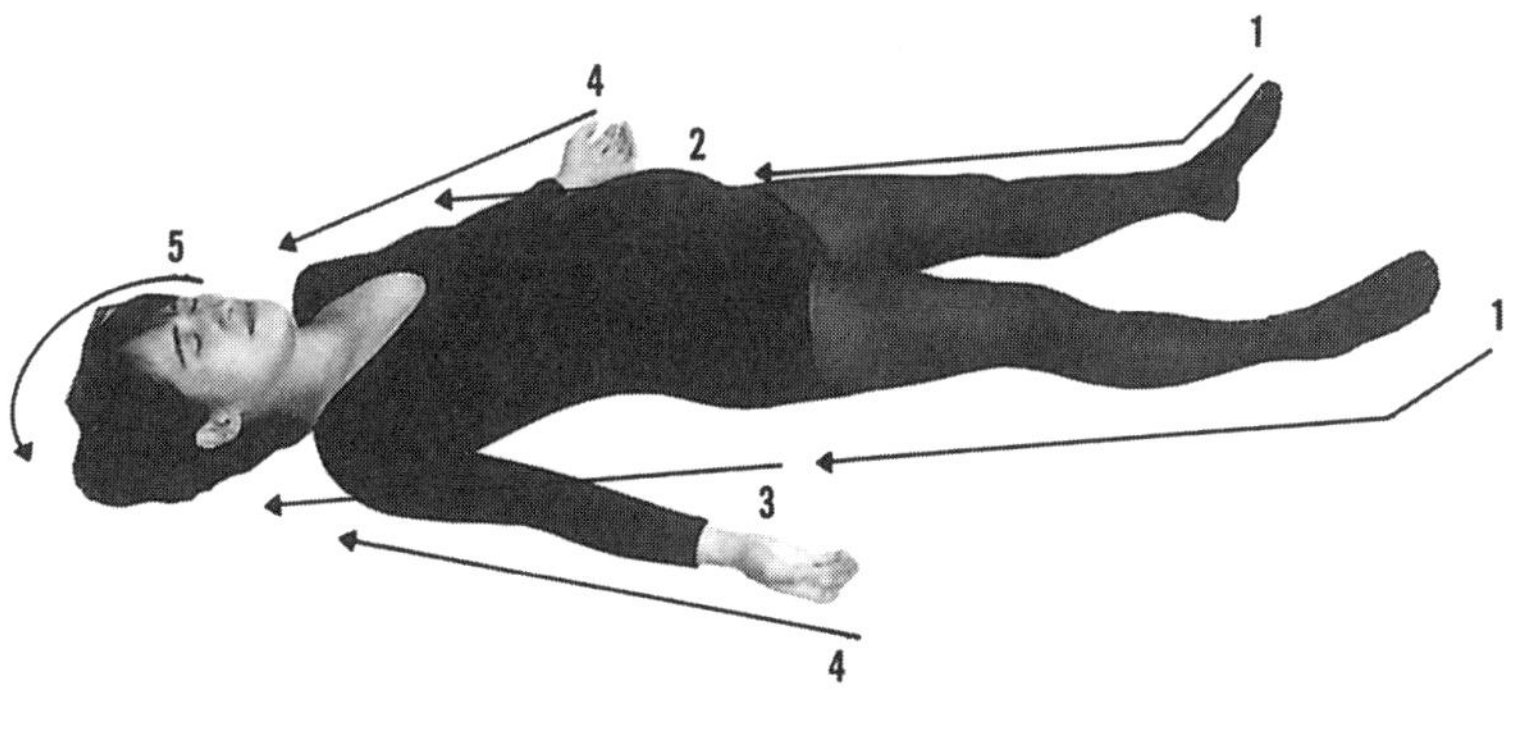

イメージ・トレーニング

覚醒する（③）前に、イメージ・トレーニングに移ることもできます。

○何か願望があれば、それをイメージしてみましょう。できるだけ鮮明に、そして上手にできている光景を思い描くことがポイントです。

【註】

＊これは、プログラムの最後に瞑想の代わりとして、あるいは、単独におこなうこともできます。「意識をはっきりさせた中でのくつろぎの状態」が特徴です。瞑想と同様に、調和や歓喜、智恵などを味わうことができます。

＊横向きでのシャバ・アーサナ（p.83）でおこなうこともできます。特に、妊娠後期では、仰向きより横向きのほうが快いように感じられることでしょう。

＊イメージ・トレーニングは、よく知られているようにスポーツ界で、また心理療法や自己開発としても用いられています。例えば、「速い球でも見える。うまくバットにあたる」、人前で話すのが苦手な場合は、「私は今ゆっくりと呼吸をしている、そして、落ち着いている。私は、落ち着いて自分の言いたいことを話している」などのイメージを描きます。また、「広い野原、広い砂浜」など、自分の好きなリラックスできる光景を思い浮かべると、前頭葉でα波が優位となり、落ち着くことが確かめられています。妊婦さんの場合、こうした広々とした自然や赤ちゃんのイメージを取り入れることで、心をおだやかにし、よい胎教としましょう。

＊心理療法としても使用されている自律訓練法は、シュルツ（Schultz, J. H.）によって創始されたセルフ・コントロール法ですが、これはヨーガの影響を受けているといわれており、実際、このヨーガ・ニドラーとは、かなり類似しています。

【誘導のポイント】

自律訓練法や催眠法も参考にして、誘導のポイントを次にまとめました。

＊力がぬけると、重い感じとなります。ですから、慣れないうちは、「重たい本がのっている—」などのイメージですると脱力感が体得しやすくなります。

＊催眠は、三回繰り返すと潜在意識に入るといわれています。「〇〇の力が抜けて重ーい感じ、力が抜けーる、抜けーる」などと、指導者の誘導（他者暗示）で、あるいは自分で心の中で思って（自己暗示）みましょう。

また、時々、「力が抜けて、とても気持ちいい」も加えましょう。

【効果】

＊深いくつろぎではエネルギーが蓄積されますので、疲れがとれます。

＊睡眠を促進します。体全身が弛緩しますので、睡眠前におこないますと、直後は眠りにつきやすく、また深い眠りとなります。

＊体と心がリラックスするために、心身相関疾患も克服することができます。

＊心がおだやかになりますので、お腹の赤ちゃんにはよい胎教となります。

＊イメージ・トレーニングでは、イメージの中での体験が意識に残りますので、自然と自信がついたり、やる気が出てきます。

二　産後に適したヨーガ　対象　産後の産褥体操、美容と健康に

産後に適したヨーガの効果

＊産後の体調や体型を整える

産後は、背中の痛み、子宮脱、腹部に重い感じ、膣壁の無緊張症などが生じやすいのですが、これらは、ヨーガによって軽くしたり、防ぐことができます。さらに本書では、「伸びきった腹部を引き締める」「妊娠後期に負担の大きかった背中の筋肉を強める」「開いた骨盤を元にもどす」「赤ちゃんを抱くことや授乳のために、胸や肩の筋肉をやわらげ、強化する」ことを目的とし、これらに効果があるものを紹介しています。

プログラム

産後数日目に抜糸した後から、まず、手の平を伏せた**休息のポーズ**（p.53）や**種**（p.54）といった休息の体位をおこない始めます。退院後は、さらに様々な体位も、毎日のプログラムに取り入れましょう。時間や体調に合わせて、体位の種類や回数を増減します。産後、少なくとも七ヶ月間、続けることをお勧めします。

なお、本節ではありませんが、**オイル・マッサージ**(p.78)は、産後の澱《おり》が降りやすく、風邪もひきにくくなるという効果もあり、産後二週間以降のお母さんや、生後一週間からの赤ちゃんにも適しています。

一般に

＊美容と健康のために

女性は、肩こりや腰痛に悩まされることがよくあります。また、女性にとって腹部のぜい肉は気になるものです。この「産後のためのヨーガ」では、これらに効果的なものが多くあります。お母さんの美容と健康のためにも取り入れてみてはいかがでしょうか。

準備体操としての体位

腕のストレッチ

【やり方】

○結跏趺坐(p.131)、半跏趺坐(p.92)、あるいは正座(p.45)のいずれか一つで座ります。両手を組み合わせ、後頭の下部に手の平をあてます。

①息を吸いながら、手の平を上に向けて、両腕を少し後方へ、できる限り遠くに伸ばしていきましょう(写真)。目は閉じるか、あるいは前方をまっすぐ見ます。背筋もしっかり伸ばしましょう。

②吐きながら、両手を頭の後ろへともどします。

○数回①②を、繰り返しましょう。

【註】

＊立ったままで、あるいは椅子に座った姿勢で腕を伸ばすこともできます。

【効果】

＊首の凝りをほぐし、背中や肩、胸、そして腕の痛みを防ぎます。

＊胸の筋肉の調子を整えます。また、背中の筋肉を伸ばし、姿勢を正します。

牛のポーズ　2番（ゴムク・アーサナ）

【やり方】

○正座（p.45）となります。

①右手を上にあげ、肘は折り曲げます。肘が頭の後ろにくるようにします。

②左手は下げたまま背中へまわし、肘を折り曲げ、そして背中で右手とつなぎます（写真）。背筋は伸ばし、首や体が倒れないようにしましょう。両肩の力はぬいておきます。しばらく、自然に呼吸しながら保ちます。

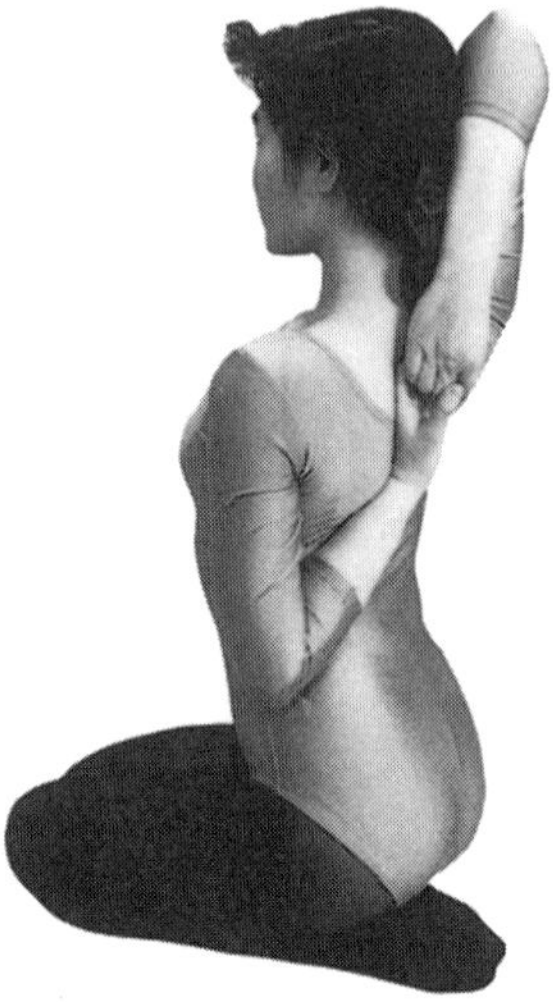

○両手を離し、両腕は体の横で力を抜き、だらりと下げます。ただし、背筋は伸ばし、安定した状態を保っておきます。目を閉じて、刺激した腕から肩にかけての体の様子（血液の流れ、温かい、ピリピリしているなど）を感じながら、リラックスしましょう。

○左手を上にして、同様におこないます。左右とも、二～三回繰り返しましょう。その際、難しい方を一、二回多くしますと、左右の歪みが整います。

【註】

＊両手を背中でつなぐ時②、手が届かなかったら、ハンカチーフやタオルを使うことも一つの方法です。ただし、毎日練習を続けますと、早期に肩関節が柔らかくなり、両手がつながるようになります。

＊**牛のポーズ1番**は、「産後からの母と子のヨーガ」にて傘のイメージで紹介しています（p.127）。これは、腹部を刺激することから産後にも適しており、両手がつかない方も楽にできます。

＊終了後に、目を閉じて体の変化を感じることは、自分

の体の様子がわかるようになるとともに、体のコントロールにもつながります。

【効果】

＊肩こりに効果があり、また、胸の筋肉の調子も整えます。

＊背骨のゆがみを正します。

＊消化器系に刺激を与えます。

＊脚の筋肉と関節、そして、骨盤を強化します。

休息としての体位

手の平をふせた休息のポーズ（エスティカ・アーサナ）

【やり方】

○お腹の下にクッションを敷き、うつ伏せとなります。額を床につけます。

①両手を組み合わせて首の後ろに置きます（写真）。腕と脚の力は抜きます。
呼吸は深く、規則的におこないます。呼気と吸気は同じ長さとします。

【註】

＊出産後まもない頃は、この休息のポーズを独立した一つのエクササイズとして、一日に何度もおこなうとよいものです。

【効果】

＊クッションをお腹の下に敷くことにより、骨盤は傾き、子宮が正常な位置へと引き上げられます。

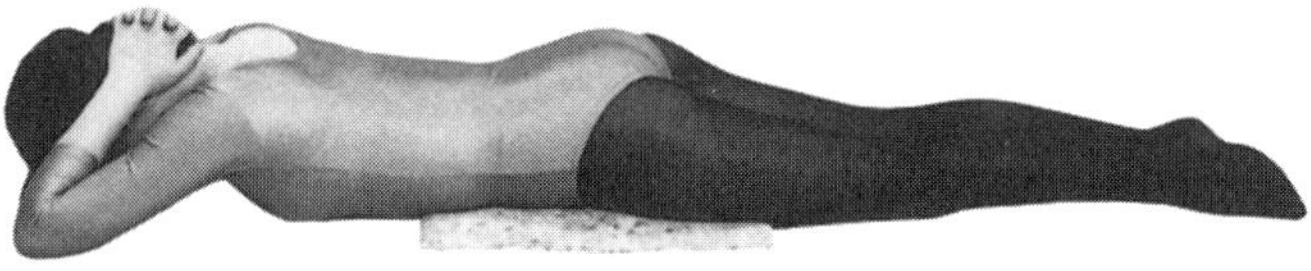

種

【やり方】

○正座（p.45）となります。

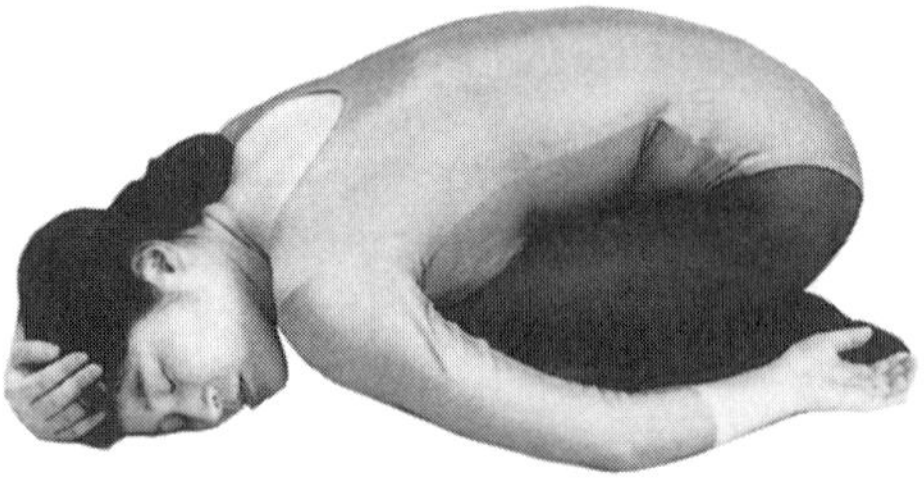

①まず、息を大きく吸います。そして、吐きながら、上体をゆっくりと前へ倒していきましょう。額、あるいは顔を横向きにしてこめかみを床面につけます。

②体を丸くします。片腕は頭をかかえるようにしましょう。もう一方の腕は、体のすぐ横におきます。目を閉じます（写真）。自然に呼吸しながら、リラックスしましょう。なお、このポーズでは深い呼吸はできません。

【効果】

＊腹部を圧迫することで、子宮も刺激され、その収縮を促します。

じっくり伸ばす体位など

背伸びのポーズ（タタカ・ムドラ）

【やり方】

○仰向けになります。両足は肩幅に広げ、手は体の横で力を抜きます。目を閉じましょう。

①息を吸いながら、両腕は真っ直ぐにして、頭の上へと伸ばしていき、床面につけます。

②息を止め、体を思いっきり伸ばします（写真）。
③吐きながら力を抜き、床へ背中がついていくことを感じましょう。
○一呼吸入れ、吐きながら両腕を体の横へともどしていきます。
○あと二回繰り返しましょう。
【効果】
＊背中を伸ばし、猫背を防ぎます。また、腰の痛みを取り除きます。
＊循環器系に刺激を与えるため、生き生きしてきます。

脚を折り曲げての上体起こし（スタンバ・アーサナの変形）

【やり方】

○仰向けとなります。

①両腕は体の横に置き、手の平を下に向けます。両脚は軽く曲げ、両膝をつけます。足の裏は床面につけます。

②息を深く吸って止めたまま、まず両腕を上げます。それから、頭と上体を上げましょう。足の裏は床につけておきます（写真）。

○吐きながら、まず、ゆっくりと上体を降ろします。次に、息を吸って吐きながら、両足を滑らし、伸ばしていきます。そして、**仰向けでの休息のポーズ**（シャバ・アーサナ p.123）でリラックスしましょう。

○あと二回繰り返します。

【註】

＊産後、数日間は、ただ腕と頭を上げるだけで充分です。これは、腹部の筋肉をあまり緊張させません。

【効果】

*首や肩の筋肉を強化するのに有効です。
*腹筋を強くし、引き締めます。
*内臓に刺激を与え、消化作用を促します。
*背中の凝りを取り除き、ギックリ腰を防ぎます。

体を持ち上げ丸くなる（アロアナ・アーサナ）

【やり方】

○仰向けとなります。両手の指を組み合わせ、頭の後ろに置きます。両脚はそろえます。目を閉じましょう。

①深く一呼吸入れて止めます。そして、両腕と頭をできる限り高く上げます。

②両脚を曲げ、頭の方へ引きつけます（写真）。

○吐きながら、ゆっくりと腕、頭、脚を降ろし、最初の姿勢にもどります。

休息を入れながら、さらに二回おこないます。休息の時、両腕を頭の下に置いているのが不快でしたら、体の横に置いて力を抜きましょう。

【註】

*腕とともに頭を上げる時①、腕は内側へ、膝は額につけるようにしますと、首や肩、そして背中により良い刺激が及ぼされます。

【効果】

*頭痛を防ぎます。

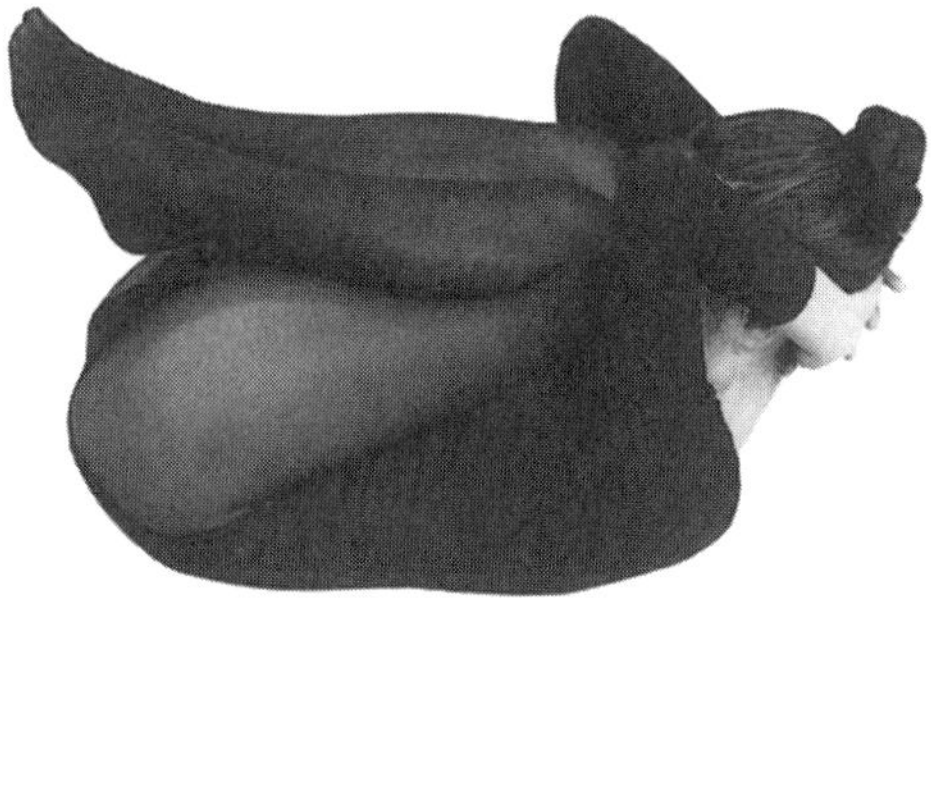

*頸椎、胸椎を伸ばします。

*首、肩、背中、腕の筋肉の緊張を除くと同時に、予防します。

*腹筋を強めます。また、内臓を刺激し、血液循環がよくなります。

*腰部がマッサージされます。

*脚の筋肉と関節を伸ばします。

ワニのポーズ

【やり方】

○仰向けとなります。両脚を真っ直ぐにしてそろえます。両腕は、体から直角を描くように伸ばします。手のひらを床面につけましょう。

①息を吸って吐きながら、両脚をそろえたまま、垂直まで上げていきます。

②息を吸って吐きながら、両脚をそろえたまま、右の床面へゆっくりと倒していきます。同時に、顔は左側へ向けます（写真）。

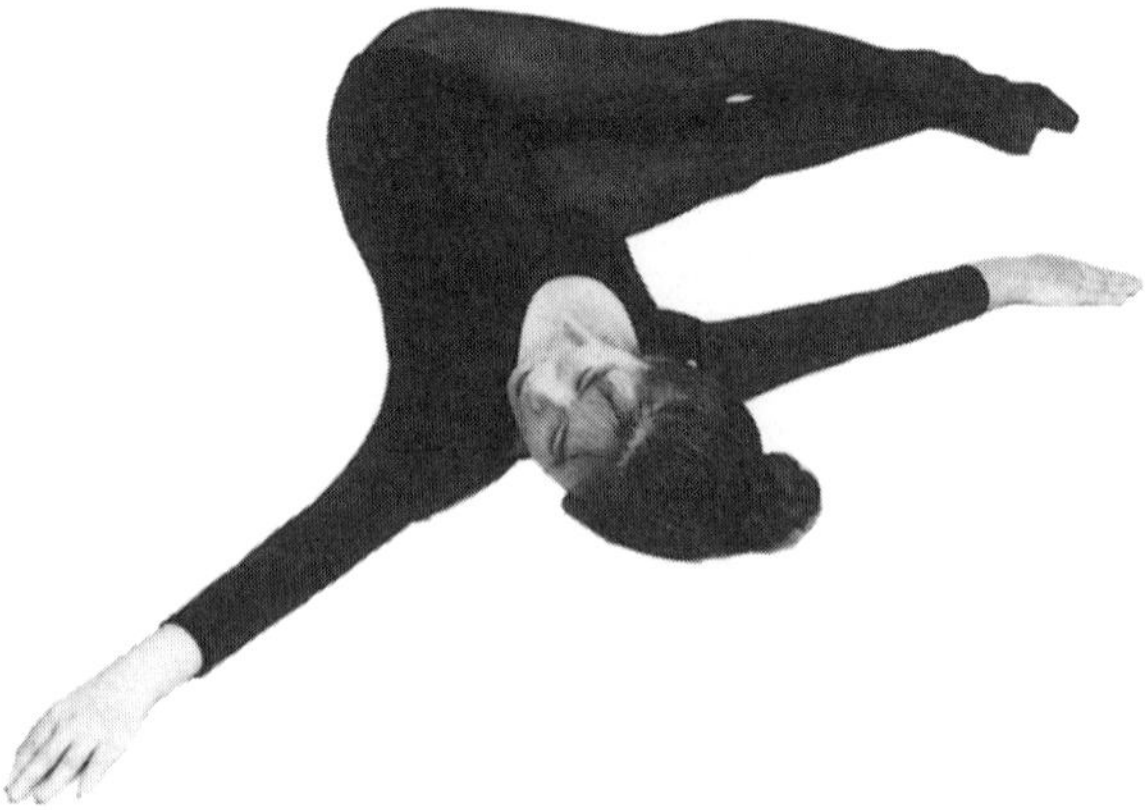

③息を吸いながら、両脚はそろえたまま垂直へ、顔は正面へともどします。

○②と同様にして、今度は、両脚を左側へ、顔は右側へと倒していきます。そして、③のようにもどしていきます。左右とも数回繰り返しましょう。

○息を吐きながら、両脚はそろえたまま、ゆっくりと床へもどしていきます。

【註】

*②では、顔を両脚の反対側へ向けることで、より刺激を胴体部に与えます。その際、両肩が床面にピッタリつくよう気をつけましょう。

*産後二ヶ月までは、やさしく刺激する仰向けでの腰のねじり（p.40）を、代わりにおこなうとよいでしょう。

【効果】

*首、肩、背中の緊張を取り除きます。

*背骨をしなやかにし、腰部によい効果があります。

*腹部の筋肉を強めます。また、内臓の消化器系を刺激します。

*大腿、臀部、腰をほぐします。

斜めの肩立ち（ヴィパリタカラニ）

【やり方】

○仰向けになります。両脚はそろえて曲げ、足の裏を床につけます。両腕は体の横に置き、手の平を下に向けましょう。

①手の平で床面を押しつけながら、下半身を床から押し上げます。息を深く吸いながら、ゆっくりと両脚を頭の上へ斜めに伸ばしましょう。

②息を吐きながら、床から四五度となるよう腰を両腕で支えます。目を閉じます（写真）。腹式呼吸を数回する間、この姿勢を保っておきます。

○息を吸いながら、両脚を折り曲げ、額の方へ倒しましょう。両腕は、体の横に降ろし、手の平を下向きにします。

息を吐きながら、両脚を少し曲げて体を丸めた状態で、ゆっくりと腰を降ろし、足の裏を床につけ、最初の姿勢へともどります。

【註】

＊産後約二カ月後からは、脚を上げていく時と下げていく時に、まっすぐ伸ばしたままおこなうと、腹部がより刺激されます。

＊②で、お腹ペッコン呼吸（p.130）のように、腹筋を使って一〇回、強制的に息を吐き出しますと、内臓を刺激するため、内臓疾患や糖尿病に効果があります。また、肛門を閉めたりゆるめたりを繰り返すと、子宮脱、失禁、痔への効果が高まります。

【効果】

＊脳へ血液が豊富に送られることから、精神疲労に効果があります。

＊肩や首の凝りをほぐします。

＊甲状腺を活性化します。

＊背中の神経や筋肉を強化します。

＊腹部のたるみを引き締めます。

＊痔を防ぎ、子宮脱に効果があります。

＊脚の筋肉の痛みや静脈瘤、および浮腫《むくみ》に効果があります。

【制限】

＊高血圧の方は、おこなわないで下さい。

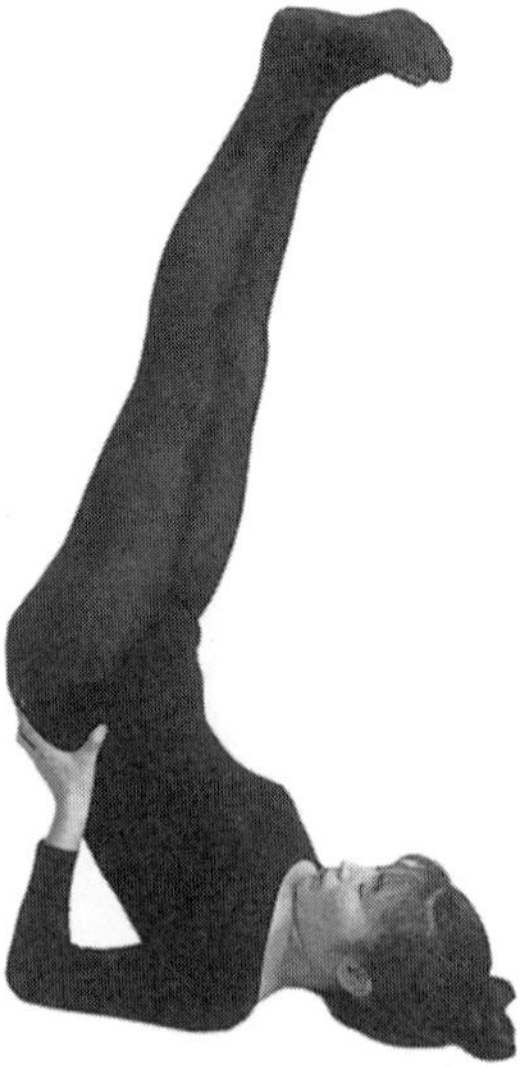

水差し（タダギ・ムドラ）

【やり方】

○前へ脚を伸ばして座ります。両腕は力を抜いて、体の横にだらりと下げます。背中は真っ直ぐにしてください。

①息を吸いながら、両腕を伸ばして頭の上へとあげていきます。

②吐きながら、上体を前へ曲げていき、手で足の親指をつかみます。両腕はしっかり伸ばし、その間で頭も倒します。息を完全に吐ききりましょう。

③息を止めたまま、次の動作をおこないます。腹部を前へ曲げます。それから、お腹を思いっきり引き上げ、あばら骨の下にくぼみができるよう横隔膜を吸い上げます。同時に、陰門あたりの筋肉を引き締めます（写真）。そうすると直腸が開きます。二数える間、この緊張を保ってください。

○まず、横隔膜と骨盤をゆるめます。それから息を吸いながら、上体が垂直となるようもどし、両腕を体の横にだらりと下げます。ゆっくりと吐きましょう。仰向けでのお昼寝のポーズ（シャバ・アーサナ p.106）で、休んでください。

休息を入れながら、できれば、あと二回おこないましょう。

【註】

＊サンスクリット語の Tadaghi とは、水差しを意味します。ここでは、腹部が水差しに例えられています。

＊空腹時におこないましょう。また、生理中は、しないで下さい。

【効果】

＊婦人科系の無緊張症や子宮脱を防ぎ、痔をやわらげます。

＊内臓を強化します。消化器系も刺激されるため、便秘に効果があります。

＊首、肩、上腕の凝りを予防し、脚の関節や筋肉を伸ばします。

＊背中の下部や仙骨をリラックスさせ、座骨神経痛に効

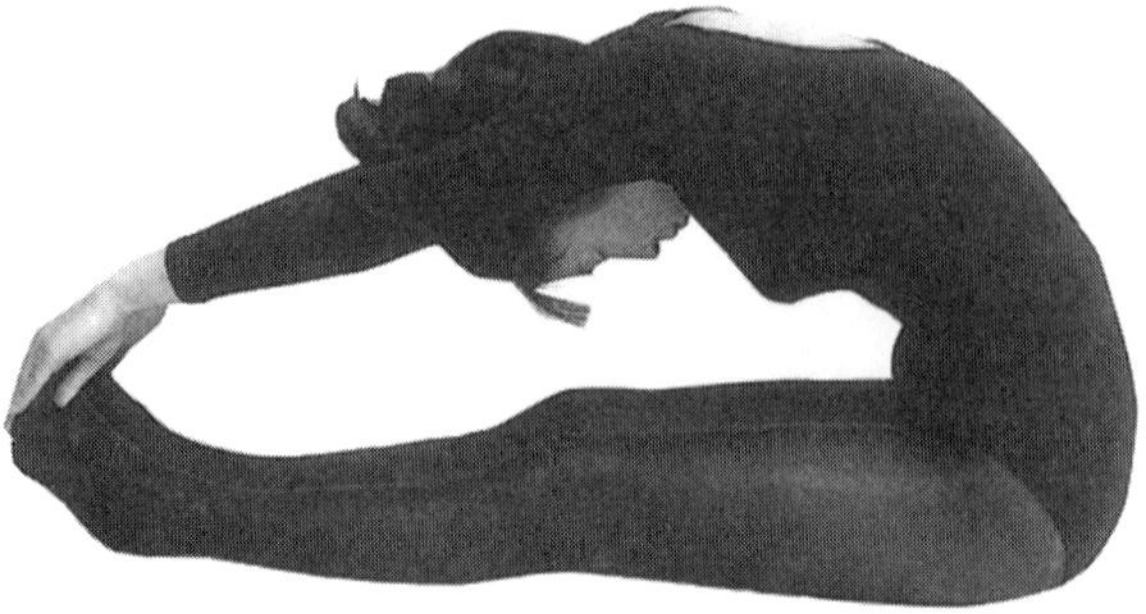

果があります。

骨盤の収縮（ムール・バンダ）＆トリバンダ・アーサナ

【やり方】

○半跏趺坐（p.92）、あるいは結跏趺坐（p.131）で座ります。両手は手の平を下にむけ膝に置きます。

骨盤の収縮

①息を吸って吐きます。そして、息を止めたままで、陰門と肛門あたりの筋肉を収縮させます。これを三数えるまで続けます。

○息を吸いながら、骨盤をゆるめます。そして、ゆっくりと吐いてください。座ったまま、自然な呼吸でリラックスしましょう。

あと、二回繰り返しましょう。

トリバンダ・アーサナ

①まず、息を深く吸いながら、背中を真っ直ぐにします。次に、息を吐ききり、上体を少し丸くしましょう。

②息を止めたままで、次の動作をおこないます。

手で軽く膝を押さえます。そして、胃を落とすような感じで前かがみとなり、下あごを胸につけます。腹部を凹まし、止息したまま息を吸い込むような感じで横隔膜を上げ、肋骨が突き出ているのが見えるようにします。骨盤を引き締め、会陰も上げてください(写真)。

○まず、ゆっくりと腹部を緩めます。次に骨盤を緩め、最後に頭を上げます。

深く息を吸い込みながら、背中を伸ばします。吐きながら腕を下げます。そして、力を抜きましょう。

○座ったまま、休息を充分にとり、もう一度おこないましょう。

【註】

骨盤の収縮

*骨盤を閉める時①は、収縮する感じに集中しましょう。

*骨盤を閉めることは、産後のヨーガにおいて非常に重要です。できることなら、産後数カ月は、一日に幾度もおこなうことが望ましいものです。

*特に、産後二週間までは、優しく内臓を刺激する、こ

の骨盤の収縮が適しています。その後は、トリバンダ・アーサナも加えましょう。

トリバンダ・アーサナ

＊下あごを引き締めること（②）は、息を止めやすくし、頭へ血液が過剰に送られることを防ぎます。

＊空腹時におこないましょう。月経時や血圧症の方はしないで下さい。

＊マネができるお子さんも、興味を持つ体位です。

【効果】

＊膣壁の無緊張症や子宮脱を防ぎます。痔にも効果的です。

骨盤の収縮

＊生殖器の血液循環をよくし、縫った場合はその治療を促します。

＊骨盤や腹部を強化します。

トリバンダ・アーサナ

＊内臓を間接的にマッサージすることで、内臓の働きを正常化します。

＊月経を正常にもどします。

＊子宮の収縮を助け、お腹を引っ込めるのにも効果があります。

第三章　母と子のヨーガ

子供にとって大切なスキンシップ

二〇世紀の初め、戦争は多くの子供たちの親をも奪いました。「残された子供たちは、各地の孤児院で保護されましたが、特に、乳児はほとんど育たない実態でした。しかし、ドイツのデュッセルドルフには、生存率が高い孤児院があるということで、アメリカのボストンに在住する一小児科医が訪ねてみました。すると、ある女性が、毎日二～三回、ひとりずつ赤ちゃんを抱きあげてスキンシップをおこなっていたことが明らかになったのでした。」—スキンシップは、小さな生命を育むためには必要不可欠なのです。

また、「ハローの子ザルの実験（Harlow,H.F　一九六一）」は、子が母親にスキンシップを求めていることを明らかにした世界的にも有名なものです。生まれて間もない サルの赤ちゃんを、母ザルから離してオリに入れました。そのオリの中には、母ザルの代わりに、縫いぐるみのサルと、針金で作られたサルが並べてありました。針金で作ったサルにミルクが出る仕掛けをつけた場合、子ザルは、針金製サルの所へミルクを飲みに来るものの、飲み終えると、柔らかな縫いぐるみサルに抱きついたり、その近くで遊んでいました。また、子ザルの部屋の中に、太鼓をたたきながら歩き回る犬のおもちゃ、クシャクシャにした紙切れ、ドアのとってなど、見たこともないものを入れてみても、子ザルはぬいぐるみの母親にしがみついたそうです。そして、一定時間しがみつくと、恐ろしさを忘れ、ぬいぐるみの母親から離れて新しい世界の探検を始め、見慣れない物体をおもちゃにして遊び出したのです。この赤ちゃんザルを用いた実験から、子は母親の柔らかな肌触りを求めており、特に、新しい環境の場合には、まず母親の肌のぬくもりの中で安心感を得た上で探検する、つまり、母親を心理的な基地として、積極的な行動が可能となることが象徴されています。

一九九五年一月に起こった阪神大震災では、多数の人々が犠牲となりましたが、その大惨事を目の当たりにした子供たちは、夜が怖くて眠れなかったり、うなされたりと、心にも深い傷を負ってしまいました。医師やカウンセラー達は、子供たちの心の傷を癒す方法としてスキンシップを強調していました。

「三つ子の魂、百まで」の故事に象徴されているよう、人間への信頼を得、安定した情緒や人格が形成される時期は、様々な心理学研究によっても三歳とされており、三歳までは、特にスキンシップが重要であることが言われています。

しかし、残念ながら幼少の頃、スキンシップに代表される愛情に満たされる経験が少ない場合、自分の中に安心感が得られず、執拗に他者をいじめたり、反対に、行かなくてはと思いながらも学校に行けない登校拒否に陥る場合があります。いじめや登校拒否などの問題が深刻化している中、こうした子供たちに共通していることは、親からの愛情、特に、幼少からのスキンシップ不足が指摘されているのです。こうした場合、子供はすでに小学校高学年や中学生となっているものの、親が添い寝をしたり、抱っこやおんぶをすることで、子供の情緒が安定し、問題解決へ至ることも報告されています。

ある心理学者（詫摩一九九二）は、四、五歳までは一日に五分、一〇分でも抱きしめてやり、小学生では手を握ることや体に触れることを勧めています。「弟（一〇ヶ月）が生まれてから、お姉ちゃん（四歳）を抱っこすることがほとんどなかったことに、母と子のヨーガをしながら気づきました。これからは、家でも時々、お姉ちゃんを抱っこしたり、一緒にヨーガをしたいと思います」と、あるお母さんからの報告がありました。その時、お姉ちゃんはお母さんのひざの中で嬉しそうな安心した表情で座っていました。園児以降になると、普段の生活の中でスキンシップの機会があまりないためか、「母と子のヨーガ教室」では、園児がお母さんとの触れ合いに満足しているような雰囲気が見うけられます。

スキンシップが充分に与えられることを通じて、子供は、まず安心感を得、そして、その中で他者や自分自身への信頼感を獲得してゆきますので、つらいことがあっても乗り越えていけますし、将来はしっかり一人立ちでき、社会での人間関係や結婚してからの家族関係もうまくいくことに通じるのです。

また、皮膚には、たくさんの感覚受容器が散りばめられているため、皮膚を刺激すれば、脳も刺激されたことになります。したがって、肌に触れ合ったり、さすったりというスキンシップを通じて、脳の発達が促される、つまり知能がよくなることも言われています。以上をまとめますと、

スキンシップの効果

＊お子さんは心のやすらぎ、安心感を得る。

＊「自分は愛されているんだ、大丈夫なんだ」という自分への自信を獲得する。それは、今後、苦境に遭っても乗り越えていく原動力となる。

＊お母さんへの信頼感から周囲の人への信頼感へと発展し、他者を愛する、心の交流を楽しむことができるという良好な人間関係が形成される。

＊スキンシップで得られる安心感とともに、皮膚への刺激により脳の発達も促される。

母と子のヨーガの効果

＊スキンシップ

先のように、お子さんにとって大切なスキンシップができますし、一緒にすることでお子さんとの心の交流が楽しめます。

＊お母さんの美容、心と体の健康に

ヨーガそのものには体と心の健康をもたらす効果(p.17)があります。また、体位を続けていきますと、均整のとれた体型となっていきますので、体のラインが気になっている部分にも有効です。

プログラム

第三章「母と子のヨーガ」は、次のような五つのタイ

トルに分かれています。お母さん自身とお子さんの様子に合わせて、該当するタイトルを選びましょう。なお、乳児のお子さんと楽しめる体位は、その名の後に［乳児〜］と記しています。

1　スキンシップ p.71
対象　お子さんに、一般では準備体操やペア・ポーズとして

2　妊婦さんにもよい母と子のヨーガ p.80
対象　妊婦さん、およびお母さんと子供

3　妊婦さんにもできる母と子のヨーガ p.94
対象　妊婦さんも含めたお母さんと子供
　ただし、妊婦さんは腹部を圧迫しないよう気をつけてください

4　産後からの母と子のヨーガ p.103
対象　産後一ヶ月以降のお母さんと子供

5　お母さんのまねっこできるかな p.119
対象　産後一ヶ月以降のお母さんと、マネが上手なお子さん

そして、図3のように、プログラムを組んでみましょう。

なお、静かに座る瞑想はある程度大きくならないと難しいため、静的なものとしています。本書では、呼吸法以降から選びましょう。二、三歳からでも、**目の体操**（p.90）、**蜂の羽音の呼吸法**（p.91）、**聖音オーム**（p.91）には、興味を示すお子さんが多く見られますので、お勧めです。お子さんの成長にともなって、また、ヨーガを習慣として実践される場合には、短い時間でも静かに目を閉じて座る**お子さん向けの瞑想法**（p.136）もできるようになってくるでしょう。

また、ヨーガの始まりと終わり、および本読みの前後などの区切に、**お父さん座り**（p.92）や**お母さん座り**（p.45）で合掌して挨拶をおこなうことは、心を静かさせる効果もありますので、ぜひ、プログラムに加えましょう。

以上を軽くおこなうと、三〇分前後でできることでしょう。

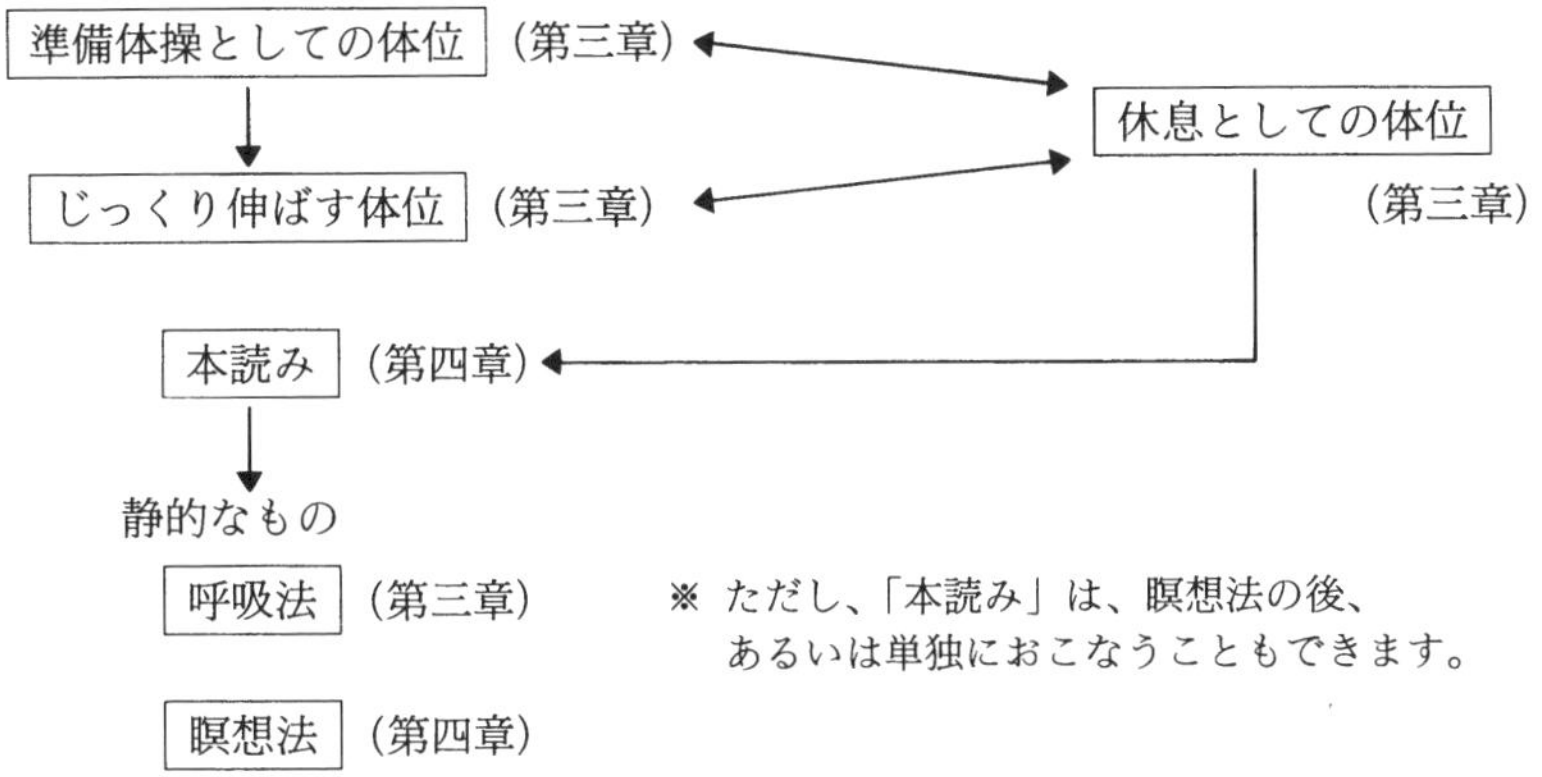

図３　「母と子のヨーガ」プログラムの流れ図

ポイント

＊前屈、後屈、横曲げ、ねじりなど各種を

お子さんの好きな体位を中心に、幾つかします。スキンシップのものも含め、前屈、後屈、横曲げ、ねじりなど各種取り入れ、全身をまんべんなく伸ばせるようにおこなってみましょう。

＊体位と、子供の呼吸

体位の一つの特徴として、動きに合った呼吸を意識しておこなうことがありますが、子供の場合、自然と体に応じた呼吸となっていますので、無理強いする必要はありません。本書でも呼吸の仕方を示していますが、まず、大人の方が参考にしてください。お子さんにも意識して呼吸を教えたい場合は、お母さんや指導者自らが、吐く時、「フー」という音を出すこともよい方法です。なお、小学校中、高学年以降の比較的大きなお子さんや、大人だけでする場合は、歌をうたうことや声かけを除き、通常通り、「どこの筋肉が伸ばされているか」という身体の感覚、あるいは「自分の周りから宇宙の広がり」といった空間を意識しましょう。

＊毎日続ける

ヨーガは毎日続けると効果が高まります。体は柔軟になり、体調も整い、気分もスッキリして快適な生活を送れるようになります。

また、これまでに「母と子のヨーガ教室」に来られた方のうち、お子さんが目立って上手になったケースは、どれも、「家でヨーガをするようになりました」ということでした。お母さんが少しずつでも毎日していくと、一、二歳の小さいお子さんでも自然と一緒にするようになっていきます。

＊ご家族でも

「主人や、帰省先のおじいちゃん、おばあちゃんに、習ったヨーガを子供が得意そうに見せたり、教えたりしています」と、複数のお母さんから報告をいただいたことがあります。子供は、お母さんほど接する機会の多くないお父さんやおじいさん、おばあさんに、できるようになったことを見てもらいたいようです。ご家族でヨーガをおこなってみてはいかがでしょうか。おじいさんやおばあさんにとっても、気持ちよく体を伸ばしていくことは、心身ともによいことです。お父さんには、子供とのスキンシップを楽しむ中、日頃のストレス解消や健康管理としてお役に立てることでしょう。

子供の興味を高めるテクニック

＊シリーズごとにイメージを膨らます

本書では、体位の呼び名を、「動物、遊具、食べ物、人物」など、身近で興味が持てる事物にしています。同じシリーズ、例えば、動物の場合、「ここは、動物園です。ゴリラ、ライオン、ゾウ、サル――」と、一連の流れにそってみるのも一方法です。ご自由にアレンジしてください。

＊歌やメロディー、リズムを使って

本書でも、**ゾウさん**（p.88）、**貨物列車**（p.94）など、童謡を歌いながらするものを幾つか紹介していますが、歌は、一、二歳の小さなお子さんでも興味を持ち、一緒に歌いながらする光景が見られます。また、例えば、**お父さ**

ん座り（p.92）の場合、「お父さん座りできるかな、脚を上げるよ、ヨイショ、ヨイショ、ヨイショ」に適当なメロディーやリズムをつけますと、子供達もそれに合わせておこなっていき、よりスムーズに移ることができます。

＊言葉のやりとり

お猿さんポリポリ（p.108）では、「お猿さん、お猿さん、どこがかゆいかな？　○○ちゃんに、聞きました」と尋ね、そして、その子の答えをもとに、「鼻がかゆいと言いました。ポリポリポリポリ――」。このような、お母さんや指導者の先生とのやりとりにも、子ども達は関心を示すことが多くの場合あります。

＊誉めましょう。

お子さんが少しでも上手になったり、懸命にしている様子であれば、誉めましょう。大好きなお母さんやご家族の方、指導者の先生に誉めてもらうと、子どもは嬉しいですし、自信がつきますので、これからも続けていこうとします。これは、ヨーガのみならず、教育の鉄則でもあります。

一　スキンシップ　**対象　乳児からの子**

ここでは、お子さんの肌に触れるというスキンシップに関するものを紹介しています。お母さんが働きかけるものですので、乳児のお子さんからできます。先に述べたように(p.65)、スキンシップは、とても重要性ですし、また心地よいものです。これらスキンシップの働きかけに慣れてくると、安心した表情や気持ちよさそうな様子がうかがえ、幼児くらいになると「お母さんしてー」といった声も聞かれます。お子さんが甘えたい様子の時にも、意識しておこなってみるとよいでしょう。

なお、本タイトルには含まれていませんが、**親子コアラの休息**（p.95）や**親子ラッコの休息**（p.107）も、乳児からでき、スキンシップもかねた「休息としての体位」です。

取り入れてみましょう。

一般に

足の準備体操（p.72）は各自で、また、**ゆすり**（p.73）は一般のヨーガ教室や、ご家族でのペア・ポーズとしても、お勧めです。特に、頭、耳、**足のオイル・マッサージ**（p.78）は、赤ちゃんから大人まで心地よいもので、老化を防ぐ効果があります。

準備体操としての体位

足の準備体操　足の指まわし、足裏のマッサージ　足首クルクルまわし　［乳児〜］

【やり方】

○いずれも、お子さんは仰向けとなります。

足の指まわし

①「クルクル――」＝お母さんは、お子さんの右足首を軽く握り、そして、親指一本をつまんで、ていねいに三〜一〇回まわしてゆきます。

「ピッ」＝その後、指先を軽くつまんだまま、引っ張って離します。

○同様に人差し指〜薬指まで順番に回して、少し引っ張って離していきます。

○左足もしましょう。

足裏のマッサージ

①お母さんは両手の親指で、お子さんの片足ずつ、足の裏全体を気持ちよく指圧するようにマッサージしましょう。

足首クルクルまわし

①お母さんは、片手でお子さんの片足を持って支えたまま、他方の手でその足首をまわします。時計回り、反時計回りとも五回おこないます。

○逆の足も、同様にしましょう。

【註】

＊お子さんにだけでなく、お母さん自身もするとよいものです。

【効果】

＊足には全身のツボがあるため、内臓を活性化し、頭の

疲れにも効果的です。

＊足首は、首や手首とも関連しあっているため、肩の凝りもほぐれます。

＊不眠症にもよいものです。

足からのゆすり、肩からのゆすり　〔乳児〜〕

【やり方】

○いずれも、お子さんは仰向けとなります。

足からのゆすり

①お母さんは、お子さんの足の指全体を包み込むようにつかみます。両足首の間は、二〜三センチ離すようにしましょう（写真）。

②「工事ですよ、ドッドッドッドッ――」＝軽く押したり緩めたりして、体に沿って縦に波を作りましょう。二〇〜三〇秒間、続けます。

肩からのゆすり

①手は親指を下にして、お子さんの肩の中央部にあてます（写真）。

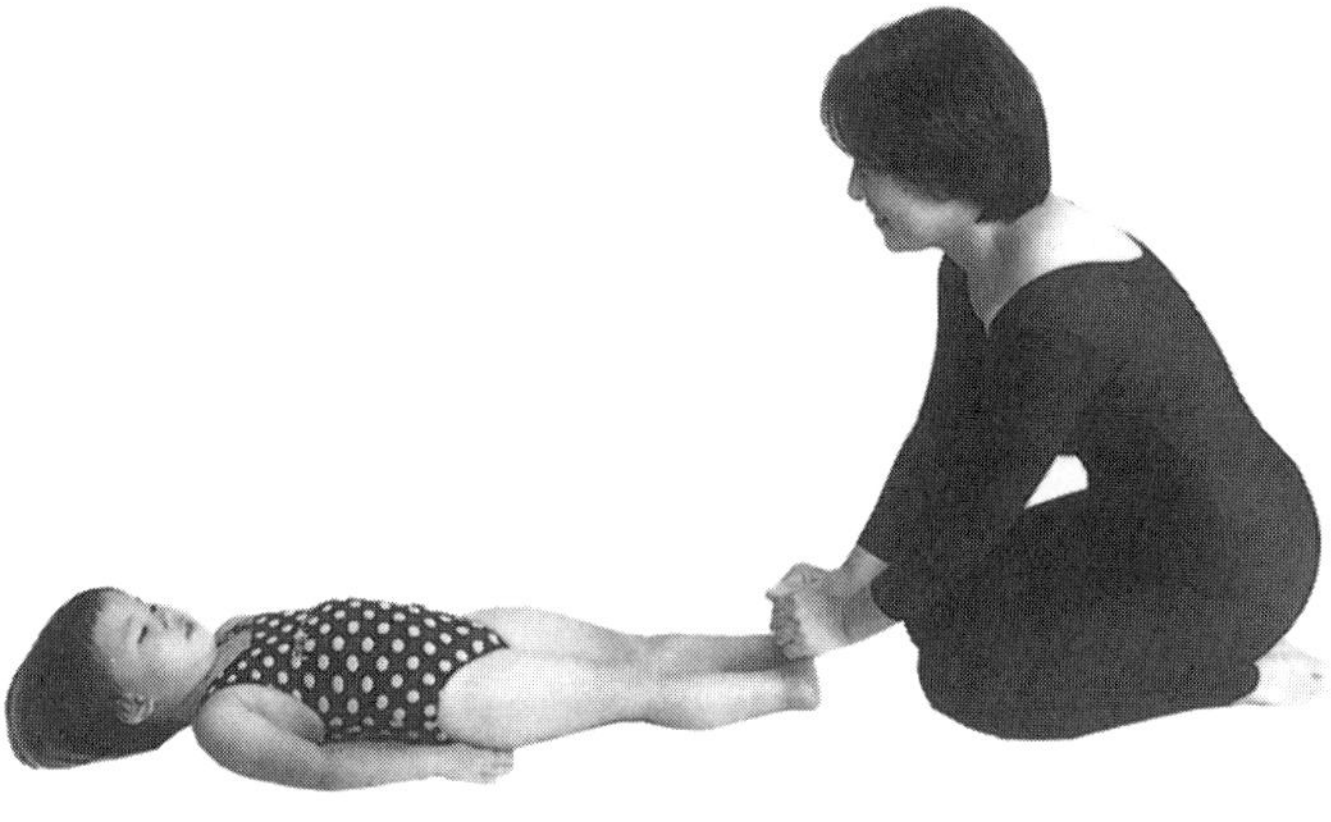

足からのゆすり

②「工事ですよ、ドッドッドッドッ――」＝肩を、体に沿って軽く押したり、緩めたりして、波を送りましょう。二〇～三〇秒間、続けます。

【註】

＊様子を観察したり、尋ねたりして、気持ちのよい振動を送りましょう。

＊ゆすりは、体全身の力が抜けると、うまく伝わります。リラックスするよう、先に足の準備体操（p.72）などをするとよいでしょう。お子さんも慣れるにつれて、気持ちよさそうに力を抜くようになります。

＊リラックス効果もあることから、休息として代用することも可能です。

＊お母さん同士や夫婦などでペアを組んで、交互にしてみるのもお勧めです。

【効果】

＊からだ内部の感覚に気づきます。

＊情緒の安定にもつながります。

＊ゆすることで、肩こりや首の凝りもほぐれます。

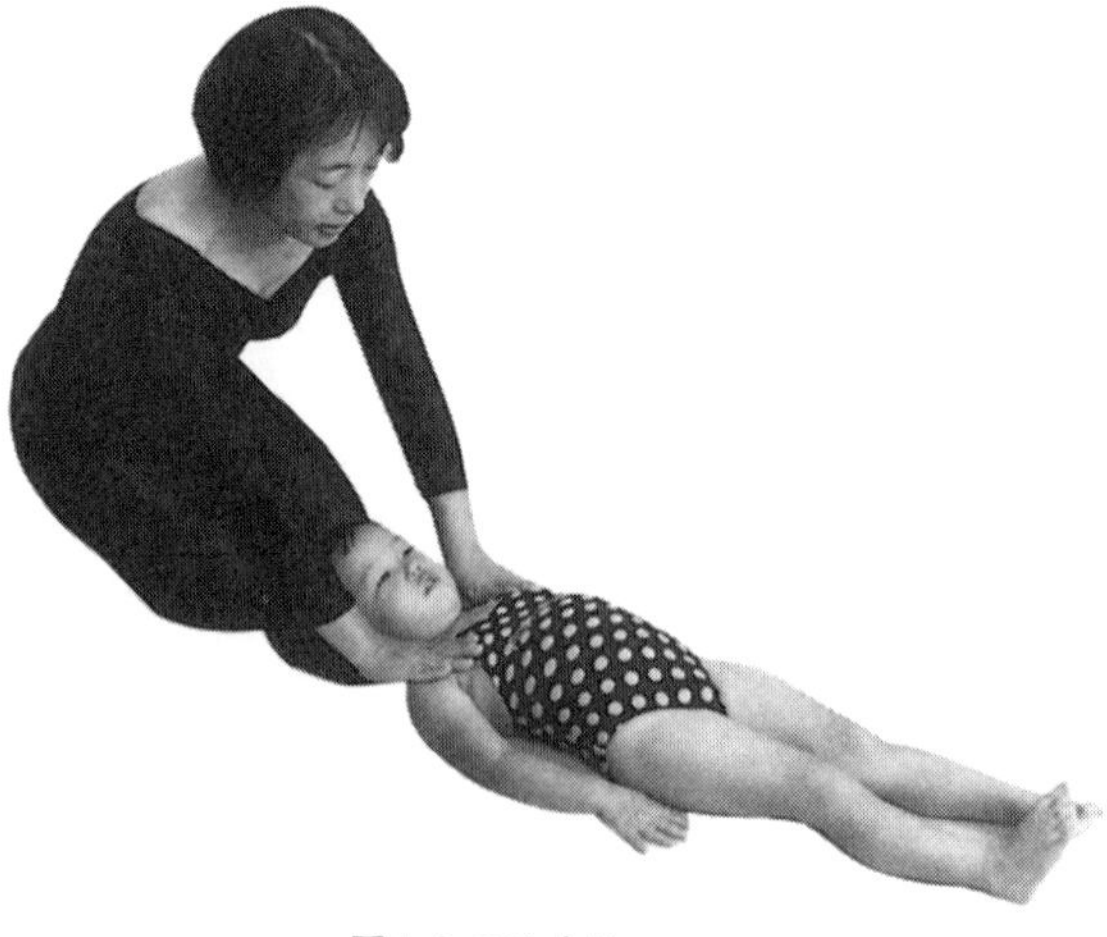

肩からのゆすり

全身のスキンシップ「足、お腹、背中──」

［乳児〜］

【やり方】

○お子さんは仰向けになります。

①「足、むこうずね、膝──」＝お母さんは、お子さんの足先から頭へと、その部位の名を言いながら、スリスリとなでていきましょう。

【註】

＊英語や、ドイツ語、中国語などの外国語ですると、語学の理解と興味づけにもなります。

【効果】

＊全身をさすることで、血液循環がよくなります。

＊安心感の中で心身ともリラックスします。

＊お子さんは、体の各部位の理解も、接触を通じて自然に無理なくできます。

じっくり伸ばす体位

補助をつけたひざ倒し

［乳児〜］

【やり方】

○お子さんは、仰向けになります。

①お母さんは、お子さんの両足をまず、五センチくらい開き、そして膝をほぼ直角に立てます。

②お子さんの両膝に手をあてて、その膝をゆっくり右や左に倒していきます。（写真）。

○左右五セットを目安に繰り返しましょう。

【註】

＊なお、補助がないものに、**仰向けでの腰のねじり**（p.40）があります。これは、やさしいポーズですので、妊婦さんや腰痛の方にも適しています。

【効果】

＊腰から背中までの片寄った緊張や歪みをとります。

＊内臓の働きが促進されます。

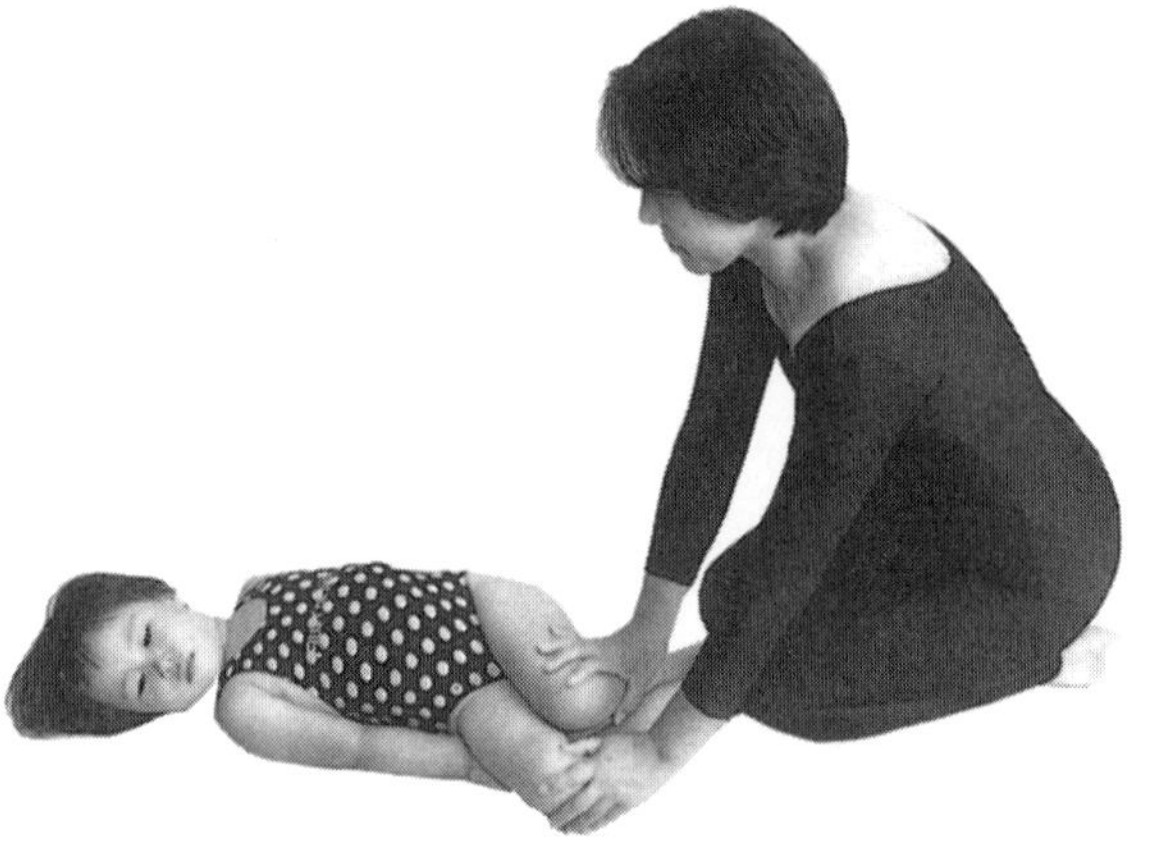

補助をつけた アーチのポーズ
（チャクラ・アーサナ）［乳児〜］

【やり方】
○お子さんは、仰向けになります。
①お母さんは、お子さんの腰を両手でかかえ、そして、ゆっくりと腰を上げていきます（写真）。
○しばらくしてゆっくりと、腰を下げます。

【註】
＊完成ポーズ①では、お子さんが気持ちよさそうな範囲でおこないましょう。小さなお子さんや、慣れないうちは、お子さんの頭を床から離さず、お腹を軽く伸ばしていくつもりでしてください。成長していくにしたがって、自ら腰を上げるようになります。

【効果】
＊全身の筋肉や関節を刺激し、血行をよくさせるとともに、身体中のあらゆるホルモン分泌活動も刺激しますので、心身が健康となります。
＊頭にも豊富に血液が送られることから、頭の働きをよくします。

＊腹部を刺激するため、便秘にもよいポーズです。

呼吸法

補助をつけた腹式呼吸　［乳児～］

【やり方】

○お子さんは、仰向けになります。

①お母さんは、子どもの横に座って、手の平をおへその上に置きます（写真）。

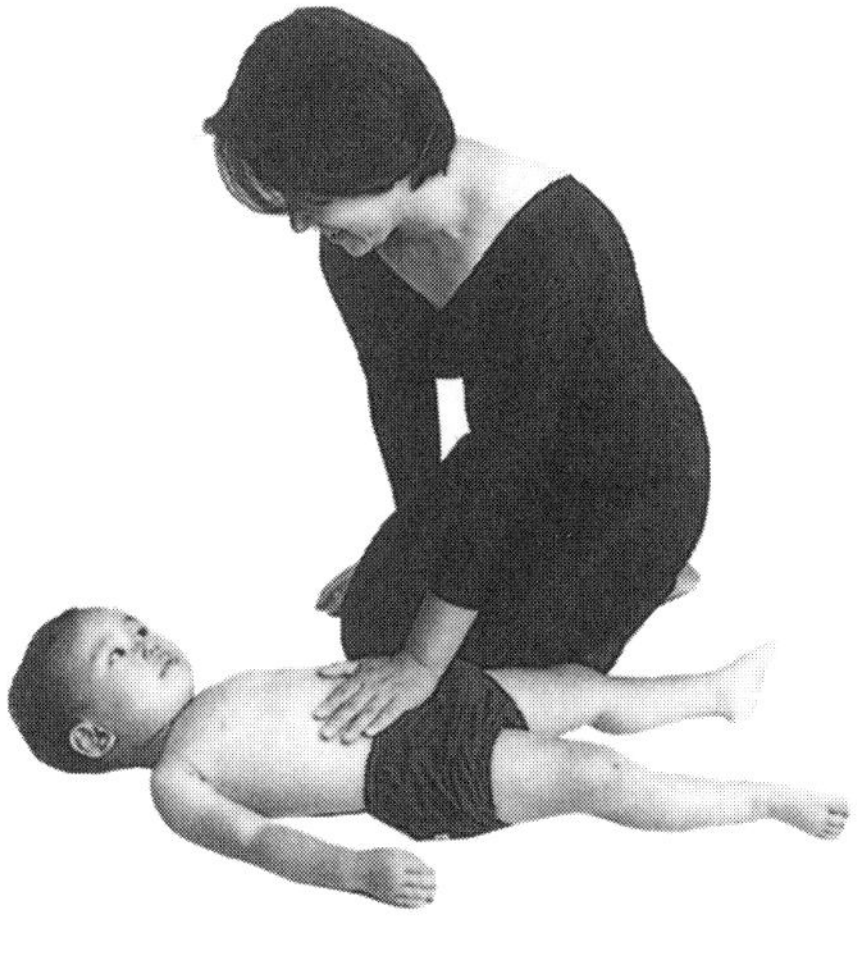

②「お腹をボールのようにふくらませるよ」＝息を吸っていきます。

③「お腹のボールがペチャンコになるよ」＝息を吐いていきます。お母さんは、子どもが吐ききるまで、苦しくない程度に手の重さをお腹にかけます。

○一〇回を目安に、②③を繰り返しましょう。

【註】

＊小さいお子さんの場合は、普通の呼吸に合わせてお腹に軽く手をのせます。

＊腹式呼吸では、息を吸う時は、肺に空気が満たされ、横隔膜が下がり、お腹が押されて隆起します。吐く時には、肺にあった空気が出てゆき、横隔膜が上がり、お腹も引き上げられ、ペチャンコとなります。声かけにもありましたようにボールのイメージですると分かりやすいようです。

＊女性は胸式呼吸で過ごす人が多いですので、お母さん自身も腹式呼吸に慣れるまで自分の手をお腹にあて、同様にして練習してみましょう。

【効果】

＊心身ともリラックスするとともに、自律神経を安定させます。

＊腹部が動くことで、内臓の働きが促進されます。

その他

オイルマッサージ

【アーユルヴェーダとは】

三千年～五千年の歴史を持つインドの伝承医学は、ヨーガ医学アーユルヴェーダとして、仏教医学、ギリシア医学などにも大きな影響を与えてきました。このアーユルヴェーダの特徴の一つには、リシと呼ばれる聖者達が瞑想状態の中で、アーユルヴェーダの概念を初めて実現させたことです。彼らは、ただ「人類の幸福」のために世に普及させたのです。

アーユルヴェーダの体系は、内科、外科、耳鼻咽喉科、精神科、薬学、強精法科、そして老化予防の強壮法科にまで及んでおり、ヨーガの目的でもある肉体、精神、そして魂の救済を含んでいます。アーユルヴェーダの一部門である強壮法科には、老化を遅延させて長寿を促す様々な方法が述べられていますが、その一つにオイルマッサージ（アビャンガ abhyanga）の習慣があげられています。オイルマッサージは、全身におこなう手技ですが、特に頭と耳と足にするのが良いとされています。

頭、耳、足のオイルマッサージ

【やり方】

○ゴマ油の準備　できるだけ純粋なゴマ油を用意しましょう。ゴマ油一〇〇パーセントで昔ながらの低温焙煎された透明色のごまサラダ油が理想です。自然食品店で扱っている場合もあります。ゴマ油を、摂氏一〇〇度で二〇分くらい熱して、冷ましたものを使います。熱することで有効成分が増加し、皮膚からの吸収がよくなるのです。なお、作り置きも可能です。清潔なビンに入れ、栓をした状態では、三カ月経っても大丈夫です。

①頭頂のオイルマッサージ　指先に油をつけて、頭頂を少しマッサージします。まとまりがつく作用もありますので、整髪剤のように、朝、おこなうとよいでしょう。そのまま、一日を過ごし、シャンプーは夜にします。

②耳のオイルマッサージ　両耳を軽くオイルマッサージします。なお、耳の中に数滴、油を入れるとより効果があるのですが、その場合は、まず、試しにおこなってみて、自分に合うか否かを確かめてからにしましょう。入浴などで体を温めた後、ティッシュや綿棒で油を拭き取ってください。

③足のオイルマッサージ　足の裏を含む足首より下の部分を、上から下へゆっくり大きくなでるようにオイルマッサージします。約一〇分間、適度な圧力で気持ちよくおこないましょう。その後、温かいシャワーや入浴などで二〇〜三〇分間温めます。

【註】

＊少なくとも食後一時間以降におこなってください。

＊足を温める③には、上記のように入浴やシャワーを利用するのが理想ですが、それが難しいようでしたら、熱めの湯が入った洗面器にタオルを浸し、それをしぼって足を包むようにして巻くなど、工夫してみましょう。

温めることで、汗によってオイルとともに老廃物が排出されます。

*石鹸を用いると、毛穴の奥まで入っている油分も取ってしまいますので、直後に石鹸で洗うことはできるだけ避けてください。入浴時に、石鹸で清潔にしたい場合には、オイルマッサージをする前に済ませておきます。

*なお、耳あかが乾燥しており、取り難い人の場合、綿棒の先に、このゴマ油をつけて掃除すれば、すんなりと除くことができます。耳にも良いゴマ油なので、安心しておこなえます。

【効果】

*老化を防ぎ、若さを保ちます。

*体の疲れがとれ、よく眠れるようになります。

*体力がつき、風邪もひきにくくなります。

*頭頂のオイルマッサージによって、髪は黒くつややかとなり、白髪や脱毛にも効果があります。

【制限】

*風邪や熱がある場合、および炎症している部分にはおこなわないで下さい。

二　妊婦さんにもよい母と子のヨーガ

対象　妊婦および母と子

マタニティ・ヨーガを、親子で楽しめるようアレンジしています。ですから、初めてのお子さんが、まだお腹の中にいる初産婦さんも、マタニティ・ヨーガとしてプログラムの中に加えるのもよいことです。

準備体操としての体位

モデルさん、兵隊さん、カニさん

【やり方】

モデルさん

○腰に手をあて、爪先立ちとなります。モデルのように背筋を伸ばして歩きましょう（写真）。

兵隊さん

○両腕、両脚とも曲げないで、兵隊のように歩きます。直角となるようアキレス腱ものばし、しっかり脚を上げましょう（写真）。

カニさん

○カニのように両手はチョキを作って、横歩きします（写真）。チョキができないお子さんは、パーやグーを作りましょう。

【効果】

＊いろいろな歩き方によって、普段の生活では伸ばされていない脚の筋肉まで刺激を与えます。

＊特に、妊婦中に生じやすい脚のトラブル「足の痛み、扁平足、静脈瘤、ひきつり、浮腫《むくみ》」などを防ぎます。

＊**モデルさん歩き**は、さらにヒップアップの効果もあります。

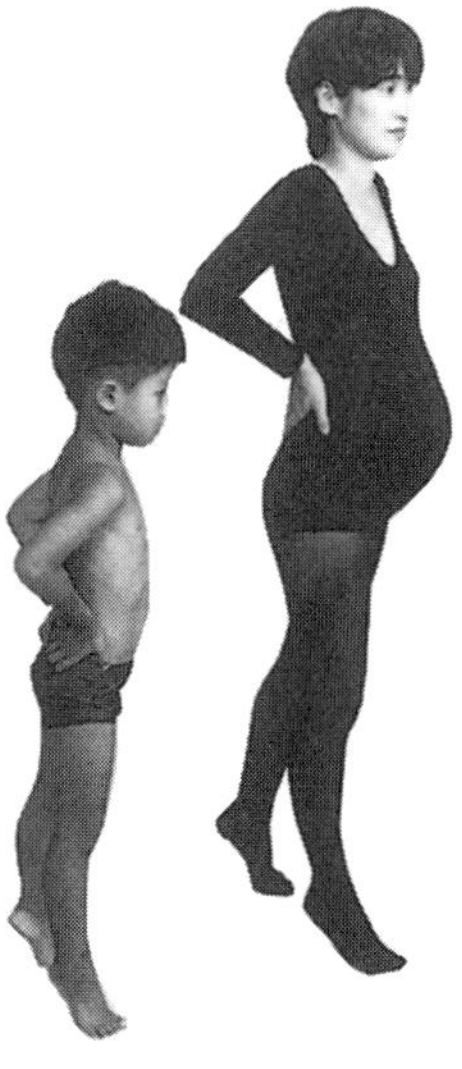

モデルさん

兵隊さん

カニさん

お山のトンネル（犬のポーズ）＆ハイハイ列車

［乳児〜］

【やり方】

お山のトンネル

○四つんばいとなります。両脚は少し離しましょう。

①腰を上げてゆき、吐きながら、横から見ると山の形となるようにします。腕と脚を伸ばしましょう。かかとも、しっかり伸ばし、床につけていくようにします（写真）。自然に呼吸をしながら、しばらく保ちます。

○膝を曲げて、かかとの上へともどっていき、正座となります。

ハイハイ列車

○妊婦さんのお子さんは、お山のトンネルを作りましょう（写真）。その他のお子さんは、四つんばいでハイハイしながら、空間を通りましょう。

【註】

＊乳児の場合、お子さんの上にお山のトンネルを作るとよいでしょう。お母さんの顔が見えます。

【効果】

お山のトンネル

＊腕と背中を強化すると同時に、背中の下部および肩、首における筋肉の凝りに効果があります。座骨神経痛も防ぎます。

＊内臓へ血液が豊富に送られます。

＊お尻から足の筋肉を伸ばすことで疲れが除かれ、腱や関節も柔軟に。

＊脚の血行がよくなり、静脈瘤にも効果があります。

＊腹部や脚の大静脈にかかる圧力を低くするため、妊婦さんの場合、通常の圧迫から解放されます。

ハイハイ列車

＊腹筋、背筋、腕や脚が強化されます。

休息としての体位

横向きでのシャバ・アーサナ（シムスの体位）

［乳児〜］

【やり方】

○横向きに寝ころびます。

①両手は楽なように置きます。下側の脚を軽く伸ばし、上側の脚は膝を曲げて床につけ、お腹に体重がかからないよう空間を作ります。目を閉じます（写真）。ゆったりと気持ちよく呼吸をしながら、頭から足先まで力を抜いてリラックスしましょう。数分〜数十分間、休息します。

○妊婦さんの場合、起きあがる時は、両手を使ってゆっくりと動きましょう。

【註】

*お子さんも、お母さんの胸の前で一緒に寝ころぶことができます。

*休息時間は、アーサナの合間では五分を目安に、また、体の疲れをいやす場合は二〇～三〇分するとよいでしょう。体調に合わせて調節して下さい。

*この横向きでのシャバ・アーサナは、通常の妊婦体操ではシムスの体位として知られています。特に、お腹が大きく重くなってゆく妊娠中期から後期にかけて楽な体位となります。疲れた時には、このポーズで休むなど、日常生活に取り入れることをお勧めします。

*なお、**ひざを立てた休息のポーズ**（p.39）では、妊婦さんの腰に通常かかっている圧力から解放できるものです。また、あまりお腹が大きくない妊娠中期までは仰**向けでの休息のポーズ**（p.123）も、リラックスしやすいでしょう。

【効果】

＊妊婦さんの場合、お腹が大きくなる妊娠中期〜後期においても、腹部を床に軽くつけることにより、日ごろかかっている重力から解放され、リラックスできます。

じっくり伸ばす体位

チョウチョ（バドラ・アーサナの変形）

【やり方】

○両脚を前方に伸ばして座ります。

①膝を曲げて、足の裏を合わせます。その両足を両手で握り込みます。

②息を吐きながら、握り込んだ両足を足の付け根へと近づけます（写真）。

③「チョウチョがパタパタ——」＝息を吸いながら脚を上げ、吐きながら下げます。ゆっくりと、しかもリズミカルにおこないましょう。

○一〇回を目安に繰り返しましょう。

【効果】

＊骨盤の周りの筋肉を柔軟にするため、出産の際、骨盤

の開きが良くなります。

＊腹部を適度に強化するとともに、骨盤をリラックスさせます。

＊骨盤部をほどよく刺激しますので、婦人科系疾患にも効果があります。

＊大腿部の筋肉、ならびに臀部、膝、足首の関節を伸ばします。

＊また、産後の体型を元にもどす効果もあります。

両足の裏を合わせた前傾（バッダ・コナ・アーサナ）

【やり方】

○両脚を前にして、座ります。

①両膝を折り曲げ、両足の裏を合わせます。その両足先を包み込むよう、両手を置きます。

② 息を吸って吐きながら、上体を前へ倒してゆきます。肩や首は、リラックスさせましょう（写真）。腹式呼吸でゆっくりと呼吸を続けながら、足の付け根の力をぬき、この完成ポーズをしばらく保ちます。

【註】

＊完成ポーズ②では、妊婦さんは、背筋をまっすぐにしたまま腰から少し前傾し、脚の内側の筋肉を伸ばすようにします。妊婦さん以外は、床へ額を近づけていきましょう。

【効果】

＊肝臓や腎臓の働きが高まることから、これらの疾患に効果があります。

＊泌尿器系の病にも有効です。

＊生理不順などの婦人病にも非常に効果があります。また、出産時の痛みもやわらげます。

＊産後では、骨盤を適度に閉める効果がありますので、元の体型にもどりやすくなります。

猫のポーズ

【やり方】

○四つんばいになります。

①「ニャーオン」　息を吐きながら、背骨を反らせ、顔を上げます（写真）。

②息を吸いながら、反対に上へ持ち上げるような気持ちで背中を丸めていきます。同時に、頭を下げてゆき、あごを胸に近づけます。

○①②を、一〇回を目安に繰り返しましょう。

【註】

＊お子さんと一緒の場合、吐く息の時（①）、ニャーオンと言ってみましょう。自然に息も吐けますし、お子さんの興味づけともなります。

【効果】

＊首と背中の凝りを防ぐとともに、柔軟にします。
＊優しく腰をほぐすことにより、腰痛を和らげます。
＊背中、腕と胸の筋肉を強化します。
＊内臓と骨盤によい刺激を与えます。
＊妊婦の方は、四つんばいになることによって、普段胎児の重みを支えている骨盤を解放させることができ、腹筋力も養われます。

ゾウさん

【やり方】

①「象さんのお鼻をつくるよ。クルクル――」＝両足を少し開いて立ちます。右手を高く上げ、握り拳を作って象の鼻のように自由自在にクルクルと手首を回してみます。もう一方の手は軽く腰にあてましょう（写真）。

②「ぞーうさん、ぞーうさん、おー鼻が長いのね――」＝童謡の「ぞうさん」を歌いながら、リズムに合わせて、象の鼻を作った握り拳を振り子のように、右上↓前下↓左上↓前下↓右上――と続けて、動かします。

○同様にして、左手で象の鼻を作り、①②を繰り返しましょう。

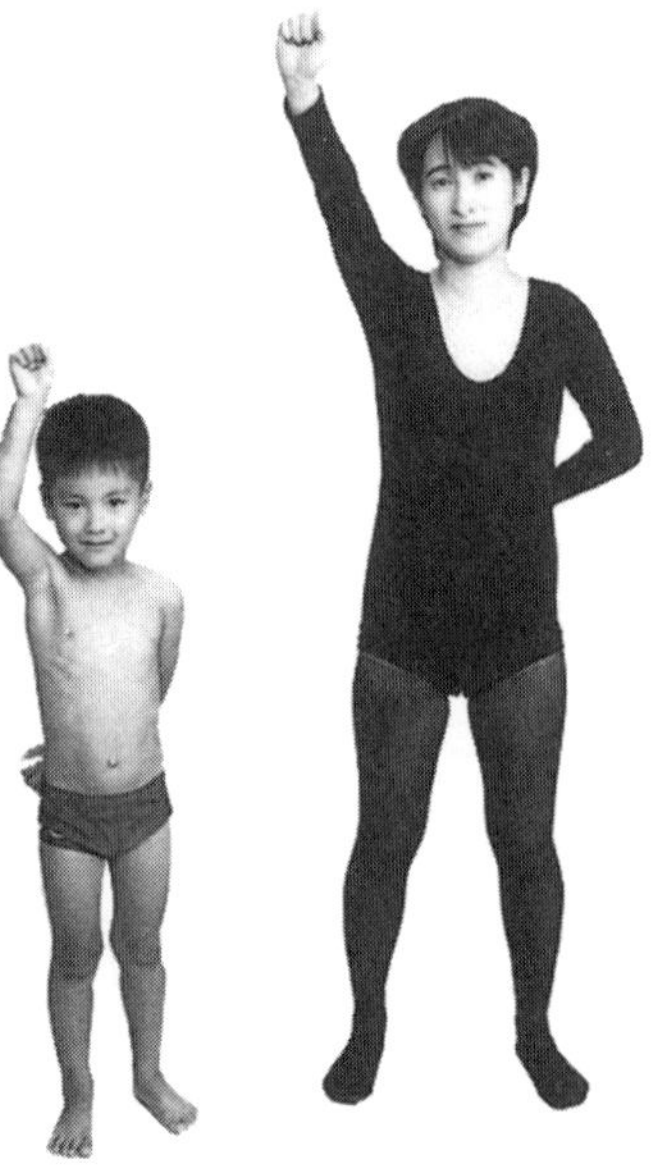

【註】

＊腕から全身を軽くほぐすつもりで、のびのびとおこないましょう。

【効果】

＊お腹から声を出すつもりで歌いますと、声も美しく、声量もついてきます。また、腹式呼吸の練習にもなります。

＊のびのびおこなうことにより、腕、胸、脚の筋肉をほぐします。

シーソー（三角のポーズ、トリコナ・アーサナ）

【やり方】

○両足を肩幅より広く離して立ちます。両腕を水平まで上げます。

①「ギットーン」＝息を吐きながら、腰から上体を右側、真横へ倒します。

右手の指で、右脚に触れます。左腕は上に伸ばし、その指先を見つめます（写真）。

②吸いながら、上体を起こしていきます。

○「バッコーン」＝同様にして、左側もおこないます。

左右とも一〇回を目安に繰り返しましょう。

【註】

＊妊婦さん以外は、完成ポーズ①の時、下の指先が足の甲に触れるようにすると、より脇腹を伸ばすことができます。ただし、前かがみにならないよう注意しま

しょう。

【効果】

＊ふくらはぎと腿の筋肉を強化し、引き締めますので、足も美しくなります。

＊背中の痛みを除き、猫背も矯正します。

＊扁平足にも有効です。

呼吸法など

目の体操

【やり方】

○お父さん座り（p.92）、本格的なお父さん座り（p.131）、あるいはお母さん座り（p.45）となります。

①次のように、リズムをつけながらおこないましましょう。

「上がり目」＝上を見ます。

「下がり目」＝下を見ます。

「ぐるっと回って」＝下↓左↓上↓右へと一周します。

「猫の目」＝真っ直ぐ前を見ます。

②「パチ　パチ　パチ　パチ――」＝まばたきを一〇回します。

③「忍者のシュリケン、シュッ　シュッ――」＝両手を一〇回すり合わせます。

④「お椀《わん》を作って、カパッ」＝手はお椀のように凹みを作り、軽く目を覆います。

⑤「お顔を洗うよ、ゴシゴシ――」＝そのまま、両手で優しく顔を約一〇回こすります。

⑥「誰が見えるかな」あるいは「お母さんが見えるかな」など＝両手を顔から離します。

【註】

＊ヴィヴェーカナンダ・ケンドラ・ヨーガ研究財団（本部＝インドのバンガロール）によって紹介されたプログラムを、楽しくできるようアレンジしたものです。実際に、臨床へと応用され、次の効果が確かめられています。

＊簡単にできますので、日常生活の中に取り入れてみましょう。テレビのコマーシャルの時にするのもよいですね。

【効果】
＊眼精疲労、近視、乱視、老眼に効果があります。

蜂の羽音の呼吸法（ブラーマリー）

【やり方】
○お父さん座り（p.92）、本格的なお父さん座り（p.131）、あるいはお母さん座り（p.45）で座ります。目を軽く閉じ、背筋を伸ばしましょう。
①大きく息を吸い込みます。口を閉じて、ハミングのように、喉を振るわせながら「ブーンー」という蜂の羽音をたてながら、息を吐いていきます。
②吐ききったら、少し息を止めます。そして、ゆっくり吸っていきます。
○数回繰り返しましょう。
【註】
＊蜂になったように、広いお花畑を飛んでいるつもりでおこないましょう。
ブラーマリーについては、次のような記述があります。

「かかる修練をなすとき、ヨーガの達人の心の中に、ある種の恍惚状態が生じた（ハタ・ヨーガ・プラディーピカー第二章六八節）」

【効果】
＊心地よさが味わえます。

聖音オーム

【やり方】
○お父さん座り（p.92）、本格的なお父さん座り（p.131）、あるいはお母さん座り（p.45）となります。
①お腹、そして胸いっぱいに空気を吸い込みます。お腹から声を出すつもりで長く、次のように発声してみましょう。
最初は口を大きく開けて「アー」、だんだんと小さくしてゆき「ウー」、そして、残りの息が少なくなるころ「ムー」に移り、最後には口を閉じたままで「ン」の音で終わります。これら「アーウームー（ン）」は、継ぎ目なく一呼吸の中でおこない、また、三つの音は、ほぼ

同じ長さとします。

○三回〜五回を目安に繰り返しましょう。

【註】

*「オーム」は、ヴェーダ時代（紀元前一五〇〇頃〜前六〇〇）から神聖な音として尊ばれてきました。一番大きく口を開けて発音するのが「ア」であり、口を閉じて発せられるのが「ン」のように、これらの間には、他の音すべてが全て含まれています。このように「（ア）オーム（ン）」は、全ての「音」を含み、その音から成る「名前」も表し、さらには名前が意味する全ての「形」を含んでいると、解釈できます。それゆえ、「オーム」は、名前や形により成り立っている「この世、宇宙」をも象徴しています。このような性質を有する「オーム」は、永遠性、宇宙の根元（ブラフマン）、神を意味するとされています。ヨーガ・スートラの第一章二七節〜三二節では、「オーム」を繰り返し唱えることで、苦悩などを引き起こす心の動きが静まる、と記されています。声の広がり、心の広がりを感じながら、自然や宇宙の大きな力に思いをはせてみましょう。

*慣れてくると、お子さんも喜んで一緒にする様子が見受けられます。

【効果】

*腹式呼吸の練習になります。同時に、発声練習にもつながります。

*心の広がり、平安が感じられます。胎児の脳の発達も促されます。

瞑想用の体位（座法）

お父さん座り（半跏趺坐、アルダ・パドマ・アーサナ）

【やり方】

○両脚を伸ばして座ります。

①右脚の膝を折り曲げて足の甲を、左脚の腿の上につくよう引き上げます。左脚も折り曲げて右脚付け根の下に置きます。

②手は、人差し指を曲げて親指にあてて輪を作り、他の三本の指を伸ばしたまま膝の上に置きます。背筋を伸ばして肩の力を抜きます（写真）。目を閉じましょう。

○左脚も同様にして右腿の上にあげます。左右の脚を上げる機会が同じとなるようにするか、あるいは上がりにくい方を多めに組むと体のバランスが保てます。

【註】

＊瞑想用の座法ですが、冬に床での休息のポーズでは寒さが気になる場合、また、比較的短い休息を取る場合にもお勧めです。

＊足を腿に置くことで、背筋が伸びやすくなります。そのため、自律神経系が整い、心が落ち着きやすくなります。

＊片足を腿に置くことが難しくない人は、両足を両腿に上げる**本格的なお父さん座り**（結跏趺坐）（p.132）をおこなってみましょう。

【効果】

＊股関節が柔軟になります。妊婦さんには、出産準備として重要な体位です。

＊腰部より下の神経を強化し、働きをよくしますので、内臓、泌尿器系、婦人科系の疾病にも効果があります。

三　妊婦さんもできる母と子のヨーガ

対象　妊婦も含めた母と子

先の「二　妊婦さんにもよい母と子のヨーガ」と、この「三　妊婦さんにもできる母と子のヨーガ」は、どちらもお母さんとお子さんが楽しめ、妊婦さんにとってもよいポーズです。ただし、これから紹介する「三　妊婦さんにもできる母と子のヨーガ」は、より活動的ですので、妊婦さんは、赤ちゃんが入っているお腹に、お子さんがひどく当たらないようじゅうぶん注意しましょう。

準備体操としての体位

貨物列車

【やり方】○お母さんとお子さんとでジャンケンします。

①勝った人が前（運転手）、負けた人が後（貨物列車）となり、つながります（写真）。

②知っている「列車」に関する歌をうたいながら、リズムに合わせて歩きまわります。体を軽くほぐすつもりでしましょう。

【註】

＊集団でする場合は、歌が一曲終わるごとに①②を繰り返し、一本の長い列車ができるまで続けましょう。

【効果】

＊歩くことで、血液循環が促進されます。

＊集団の場合、ゲーム感覚で楽しく、友達との交流も自然にできます。

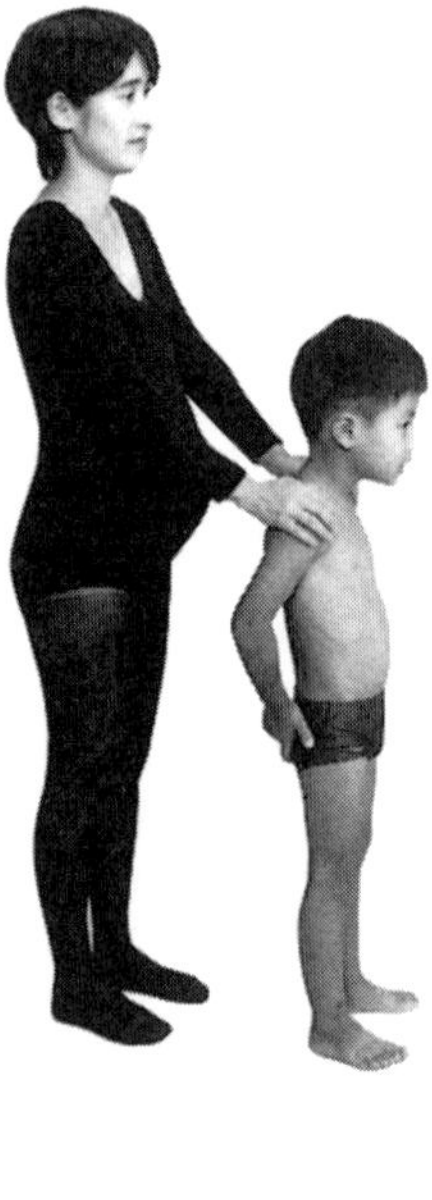

壁のトンネル（立って壁を使った肩のストレッチ）
&お歩き列車

【やり方】

壁のトンネル

○壁に向かい、二〇～三〇センチメートル離れた所に立ちます。両足は肩幅に開きます。

①腕を上方に伸ばし、両手の平を壁につけます。

②腰を倒していき、肩から腕にかけての筋肉が伸びていくことを感じながら、額を壁につけて休ませます（写真）。自然に呼吸をしながら、肩から腕の力を抜き、しばらく保ちます。

○上体を起こしてまっすぐ立ち、腕の力を抜きましょう。

お歩き列車

○お子さんは、ポーズをまねたり（写真）、お母さんが妊婦さんでない場合には、壁とお母さんとの空間を列車になったつもりで通ったりしましょう。

【註】

＊完成ポーズ②で、両足の位置を少し後ろへ移動させると、より肩を伸ばすことができます。

【効果】

＊肩こりや、背中上部の凝りを取り除きます。

＊長時間座った後など、このポーズで脚を伸ばすと楽になります。

休息としての体位

親子コアラの休息［乳児～］

【やり方】

○**お父さん座り**（p.92）、**本格的なお父さん座り**（p.132）、あるいは**お母さん座り**（p.45）となります。

①お子さんをだっこします。コアラの親子のように優しいイメージでしてみましょう（写真）。

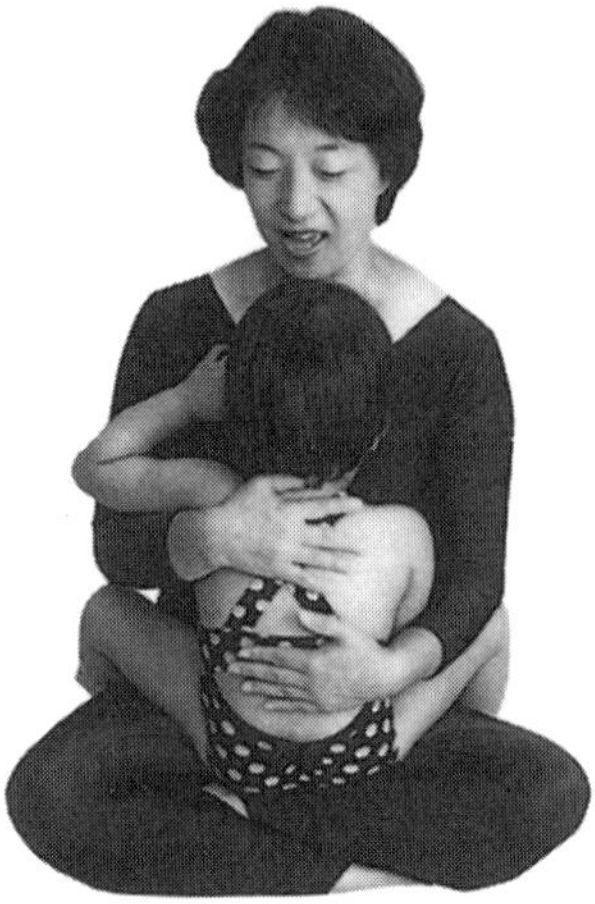

【註】

＊さらに、だっこしたお子さんの頭や体を優しくなでることもお勧めです。

＊特に、お子さんがお母さんに甘えたい時、適しています。

【効果】

＊お母さんの温かいぬくもりによって、お子さんに安心感を与え、心身のリラックス効果があります。

じっくり伸ばす体位

ゆりかごユラユラ＆ダルマさんがころんだ ［乳児〜］

【やり方】

○両脚を内側へ曲げ、足の裏を合わせます。両足先を、両手で包み込むようにします。なお、小さいお子さんや、甘えたいお子さんの場合は、脚の上に座らせ、両手で抱っこします（写真）。

ゆりかごユラユラ——妊婦さんや腰痛のある人

①「ゆりかごユーラユラ」＝ゆったりしたリズムで、左右にゆれましょう。

ダルマさんがころんだ——妊婦さん以外

①「ダールマさんが、こーろんだ（横揺れ）。コロリン（後ろに転がって起きあがる）」＝揺れたり、後ろに転がって

反動で起きあがったりします。

【註】

*「ダルマさんがころんだ」では、腹筋の力がつくことによって、お子さんも起きあがることができるようになります（年長～小学生低学年頃）。それまでのお子さんは、ころげるだけでＯＫです。

【効果】

*骨盤部の筋肉を柔軟にし、血液循環を促すことから、泌尿器系や婦人科系によい効果があります。

*「ダルマさんがころんだ」では、腹筋を適度に鍛えます。

開脚の準備「タンタンタン」　［お座り～］

【やり方】

○両脚を前に出して座ります。開脚しましょう。

①「タンタンタン──、モミモミ──、スリスリ──」＝内側の筋肉を軽くたたいたり、マッサージしたり、さすったりして、ほぐします（写真）。

○筋肉がほぐれたら、もう少し開脚を広くして、①を繰り返しましょう。

【註】

*お子さんが小さかったり、甘えたい時には、お母さんの開脚の間に座らせ、同様にお子さんの脚をマッサージ等すると、スキンシップにもなります。

*軽くたたく場合、「タン、タン、タン、タン、タン、ヒゲじいさん──」の童謡を歌いながらおこなうと、歌の好きな

お子さんは興味を持ってきます。

【効果】

＊より柔軟となり、開脚がしやすくなります。

＊骨盤部の血液循環がよくなり、婦人科系疾患に効果があります。

ジェット・コースター（ヴィシュトリタバダ・アーサナ）［乳児〜］

【やり方】

○脚を前に伸ばして座ります。開脚しましょう。

①「ジェット・コースターに乗るよ。こっちの手は○○ちゃん、反対にはお母さんが乗るよ」＝声かけに合わせて片手づつ上に伸ばしくっつけます。

②「出発するよ、ビューウーン」＝レールのつもりで片脚に沿って両手をすべらしながら、同じ方向に上体を倒します（写真）。

「遠くまでいくよ、ビューン、ビューン、ビューン」＝少し保ちます。

○「帰ってくるよ、ヒューーン」＝両手と上体をゆっくりもどしていきます。

上記のようにして、右側、左側、前方に上体を倒します。

【註】

＊妊婦さんは、前屈や横に曲げる時（②）、腰部から少しだけ倒すよう注意して下さい。むしろ、足首部分を立

てて、脚の筋肉をやわらげましょう。
＊無理のない範囲でおこないましょう。「一回目よりも二回目、三回目―」と、徐々に筋肉もほぐれ、柔軟になっていくことを感じることが重要です。
＊小さいお子さんや甘えたいお子さんの場合は、お母さんの開脚した空間に入れるとスキンシップにもなります。
＊直前に**開脚の準備**（p.97）を、直後に**乗り物ガタガタ**（p.99）をしますと、より柔軟に、そして無理もかかりにくいため安全です。

【効果】
＊便秘を解消させます。
＊骨盤部の血行をよくし、ヘルニヤ、各種婦人病に効果があります。

乗り物ガタガタ

【やり方】
○両脚を前に伸ばし、そろえて座ります。両手は後の床面につきます。

①「コインをどうぞ」＝お母さんやヨーガ指導者は、ゲームのコインをお子さんに渡すジェスチャーをします。

②「コインを入れるよ」＝お子さんは、膝にコインの挿入口があることをイメージして、コインを入れるジェスチャーをします。

③「カチャ、ガタガター――」＝脚全体を交互に軽く上下に動かします（写真）。脚全体に振動が起こるようにすると、気持ちよくできます。

【註】

＊お子さんは、**乗り物ガタガタ**のまねをしたり、妊婦さん以外では、お母さんの脚の上に乗せることも可能です。

＊特に、開脚の後に、脚の筋肉をほぐすためにおこなうことをお勧めします。

【効果】

＊脚の筋肉がほぐれます。

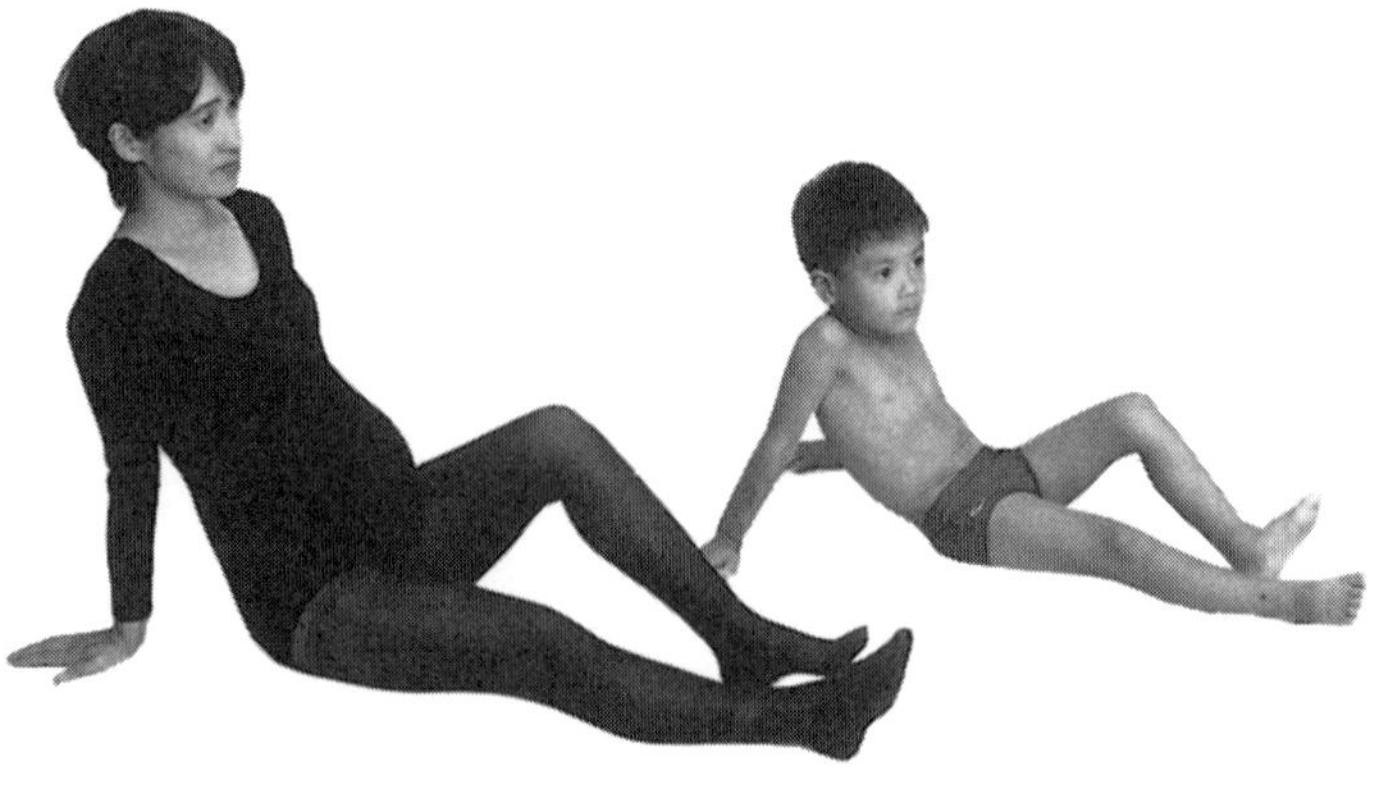

ライオンのポーズ（シンハー・アーサナ）

【やり方】

○正座になります。両膝を少し開きましょう。

①「ライオンの手になるよ」＝両手はライオンの手のように指を開き丸みをつけます。そして、膝前の床に置きます。

②「背筋を伸ばして」＝背筋を伸ばしましょう。

③「ライオン、強いぞ、ハー」＝「ハー」と息を吐きながら、口を大きく開き、舌をあごに届くほど充分に出すようにします。同時に、両眼も大きく見開き、斜め上の一点を見るようにします（写真）。しばらく保ちます。

○息を吸いながら、正座へともどり、リラックスします。

【効果】

＊一点を見つめることで、目が強化され、眼精疲労、近視、乱視、老眼に効果があります。また、集中力も養われます。

＊唾液腺ホルモンの分泌が促進されることにより、筋肉組織、骨、関節の働きを活性化させ若さが保たれます。
＊ノドの奥の血行をよくしますので、扁桃腺の腫れを治します。ノドの痛みがある時、声の調子が悪い時に効果があります。
＊顔の血行をよくして、顔の筋肉老化を防ぎ、目尻のシワが消えます。

ゴリラ

【やり方】
○お母さん座り（p.45）になります。
①「ゴリラに変身」＝腰を上げて膝立ちになります。
②「ゴッホ、ゴッホ、ゴッホ――」＝反り返るようにして胸を広げ、げんこつで胸全体を軽くたたきます。
○正座へともどりましょう。
【効果】
＊縮んだ胸の筋肉を伸ばし、うっ血を取り除きます。ぜん息にも効果があります。

呼吸法

ウインナーの呼吸法
（舌を折り曲げておこなう呼吸法、シートカーリ）

【やり方】
○お父さん座り（p.92）や本格的なお父さん座り（p.131）、

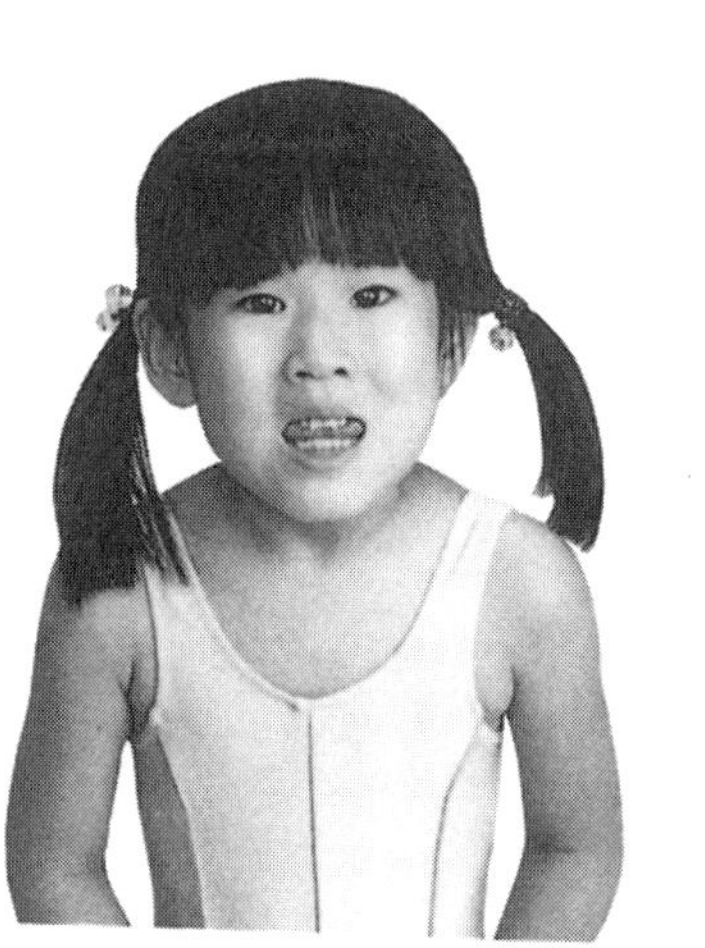

お母さん座り（p.45）といった瞑想用の座法で座ります。背筋を伸ばし、肩の力を抜きましょう。

①舌の先を口蓋《こうがい》（口内の上部）にあてて舌を折り込み、舌の裏がちょうどウインナーのように口からのぞくようにします。さらに、口を横へ広げるようにして、舌の両側に空間を少し作ります（写真）。その空間から摩擦音をたてながら息を吸っていきましょう。

②呼吸を少し止めます。そして、両鼻から息を吐いていきます。

③息を吸う前に、心地よい範囲で息を少し止めます。

○①～③を、五～一〇回繰り返しましょう。

【註】

＊難しいようでしたら、**イーする呼吸法**（p.117）をおこないましょう。

【効果】

＊体を冷やす効果があります。それゆえ、心は静まり不安や緊張が消えます。

＊呼吸器系の疾患に対する抵抗力を強めます。

四　産後からの母と子のヨーガ　対象　産後一ヶ月以降の母と子

これらは、腹部を強く圧迫する恐れがありますので、妊婦さんはしないで下さい。しかし、この腹部を強く刺激することは、腹部や腰部の脂肪を取り除く効果が大きくなりますので、産後以降のお母さんにはお勧めです。お子さんとのスキンシップを楽しみながら、お母さんの健康と美容に役立つものです。

準備体操としての体位

クワガタ

【やり方】

○直立します。

①「かまえて」＝両脚を少し屈伸させて、手を胸の前で交差します。

②「片足あげて」＝両手を上へ伸ばすと同時に、片脚を上げます（写真）。

③「降ろして」＝片脚を降ろします。

④「チョッキン」＝と、言いながら、優しくつかまえます。まず、お母さんがお子さんを、次に、お子さんがお母さんをつかまえてみましょう。

【註】

＊複数でする場合、優しくつかまえる時に（④）、お母さん達は、近くにいる子供たちを次々に、つかまえ、なでるという軽いスキンシップをおこなってみますと、グループでも楽しめます。ただし、このポーズを始める前には、お互いにぶつからないよう注意を促しましょう。

【効果】
＊お子さんは、つかまえてもらう楽しさ、スキンシップの心地よさに喜びます。
＊片脚を上げることで、バランス感覚が身につきます。
＊全身の血液循環を促しますので、準備体操に適しています。

手をつなごう　ポンポンジャンプ、まわる　座ると立つ、大きいと小さい

【やり方】
○どれも、お母さんと子供は、向き合って両手をつなぎます(写真)。

ポンポンジャンプ
①その場で、軽くジャンプしましょう。

まわる
①「まわりましょ」＝手をつないだまま、まわります。数回したら、目がまわらないよう、反対まわりになりましょう。

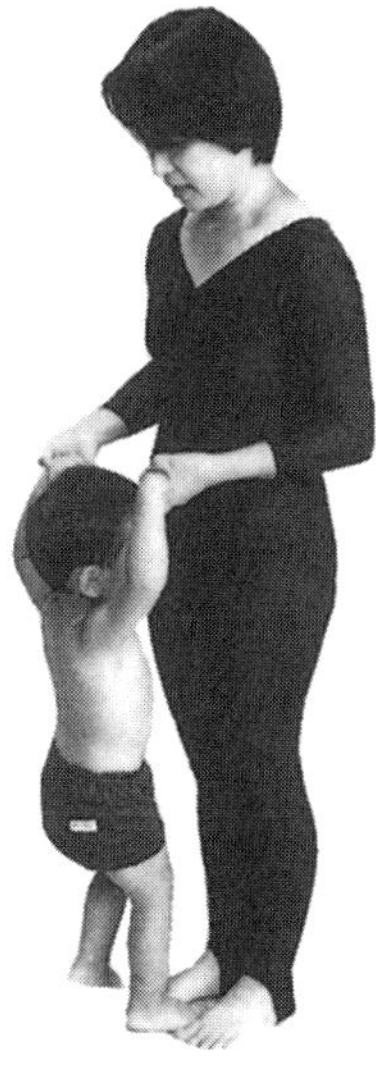

座ると立つ
①「座る」＝両手をつないだまま、しゃがみます。
②「立つ」＝立ち上がります。

大きいと小さい
①「大きくなーれ」＝互いに手をつないだまま腕を伸ばして広がります。
②「小さくなーれ」＝互いに手をつないだまま腕を曲げながら狭くなります。
○五～一〇回を目安に、①や②を繰り返しましょう。

【註】
＊①②を繰り返す際に、時には続けて同じ動作を連発すると(例えば、座るという言葉を二回繰り返す)、ゲームの

ように楽しめますし、お子さんには懸命に聞く練習にもなります。

【効果】

＊足腰が強化されます。

＊手をつなぐという安心感の中で、よく聞く練習にもなります。

休息としての体位

うつ伏せでのお昼寝

（うつ伏せでの休息のポーズ、マカラ・アーサナ）

【やり方】

○うつ伏せとなり、両手は頭の向こうへと伸ばします。

①両足は、肩幅くらいに拡げ、爪先を外側に向けます。

②右腕を曲げ、右掌を左肩の上に置きます。左掌は右肩の上に置き、腕が交差するところに、顎をのせ、首を支えます。目を閉じましょう（写真）。しばらくの間、リラックスして休みましょう。

【効果】

＊高血圧や不眠症などといった緊張によって引き起こされる多くの病気に有効です。

親子ラッコの休息

［乳児〜］

【やり方】

○お母さんは、仰向けに寝ます。

①お母さんの胸からお腹にかけて、お子さんを静かにのせましょう。

②両手でお子さんを軽く支えながら、目を閉じます（写真）。親子ラッコのようにゆったりとしたひとときを味わってみましょう。

【註】

＊お子さんを重く感じた時は、お母さんのすぐ横に優しく置きましょう。この体勢でも、子供はお母さんの温もりを味わうことができます。

【効果】

＊お子さんは、お母さんの肌のぬくもりを感じながら安心感を得、体も心もリラックスできます。

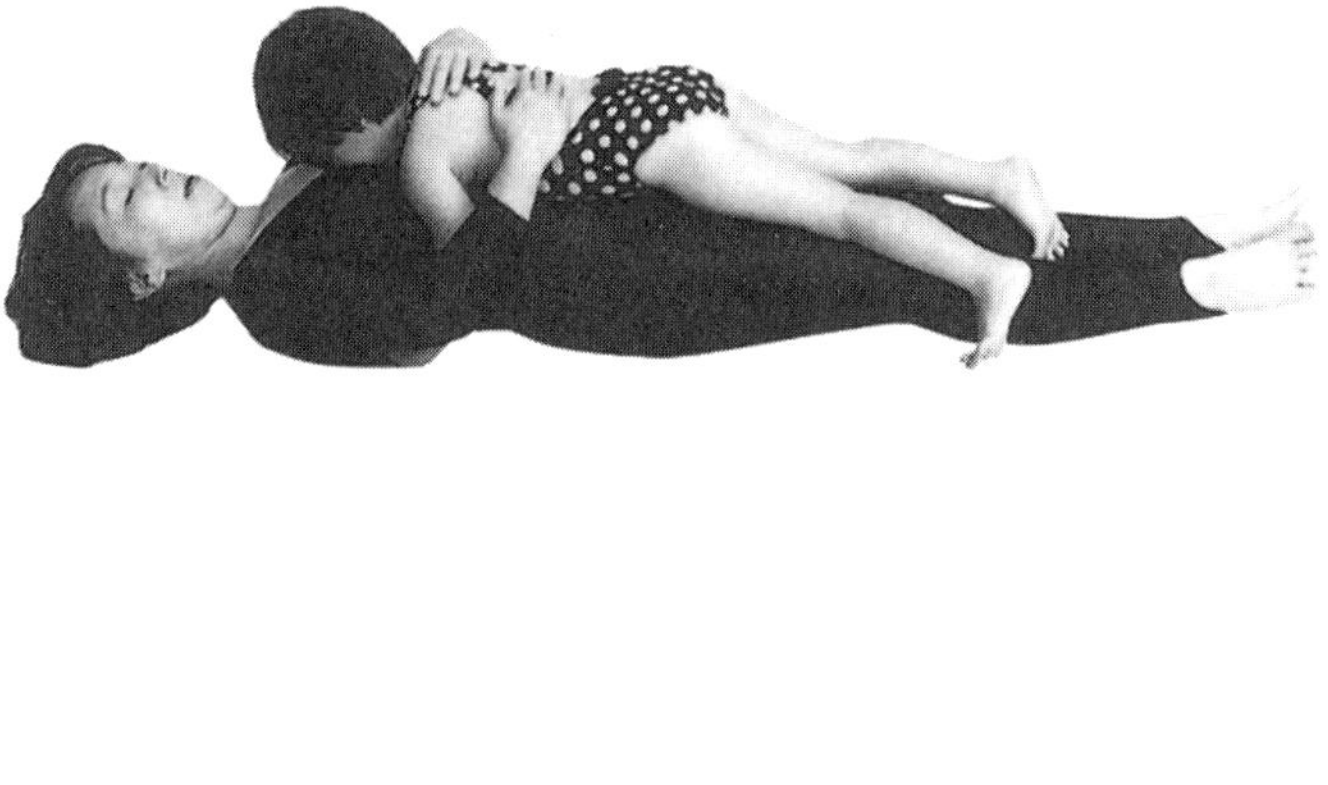

じっくり伸ばす体位など

お猿さんポリポリ

【やり方】

○両脚は内側へ折り曲げて座り、軽くあぐらを組みます。

①「お猿さん、お猿さん、どこがかゆいかな?」＝お母さんや指導者は問いかけます。

②「△□がかゆいよ、ポリポリポリ――」＝子供の答えを参考にして、お腹、胸、肩、耳、鼻、頭、などを決めて、片足を両手でもって、その部分に近づけたり、つけたりします（写真）。

○もう一方の脚も、同様にしてみましょう。

【註】

＊子供は、問いかけを喜びます。集団でする場合も、可能であれば、どの子にも尋ねるとよいでしょう。その際、問いかけの前に、どの部分にするかを、母と子が話し合う時間を少しもうけておくとスムーズにいきます。

【効果】
＊股関節が柔軟になります。
＊瞑想用の座法であるお父さん座り（p.92）や本格的なお父さん座り（p.131）がおこないやすくなります。

ボートこぎ　（前屈のポーズ、パシモッターン・アーサナ）

【やり方】
○お子さんは両脚を伸ばして座ります。お母さんも、子供の両脚をはさむようにして両脚を伸ばして座ります。そして、お子さんの手をつなぎます。
①「ボートをこぐよ」＝お母さんは、息を吐きながら、前屈します。同時に、お子さんは、後ろへ上体を倒していきます。
②次は、反対に、お母さんが息を吸いながら後ろへ上体を倒すと同時に、お子さんは、前屈します（写真）。
○①②を繰り返しましょう。
【註】
＊前屈の時（①②）、脚は伸ばしたまま、膝に顔がつくよ

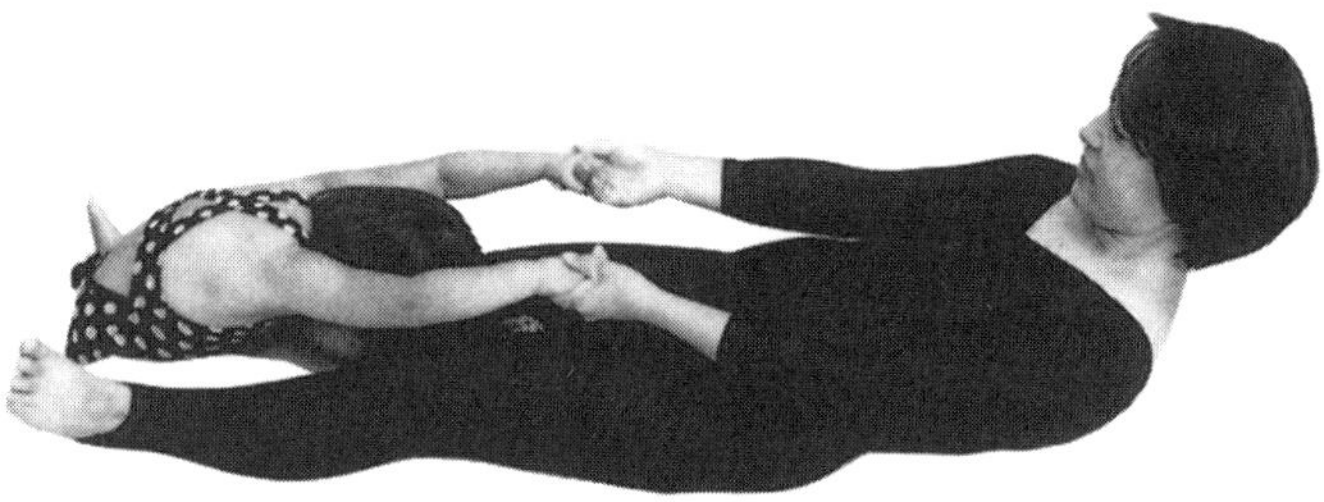

う意識しましょう「膝に、お顔がつくかな？」。

【効果】

＊腹部を刺激しますので、肝臓、すい臓、腸が活性化され、消化不良や食欲不振、そして便秘などに効果があります。

＊前屈することで背骨の間にある、一つ一つの椎間板内の血行がよくなりますので、背骨が柔らかく曲がるようになるとともに、椎間板部分から出ている維管束が刺激され、身体中のすべての器官の働きが活性化されます。

＊特に骨盤部の血行をよくし、ヘルニヤ、各種婦人病に効果があります。

＊腰と脚の筋肉をのばすために、下半身の血液循環がよくなり、脚のリウマチや神経痛が治ります。

＊腹部の脂肪が取り除かれます。

コブラのポーズ（ブジャング・アーサナ）

【やり方】

○うつ伏せとなり、足をそろえます。

①手のひらを胸の横の床面につけます。肘は曲げて体に引きつけたままです。

コブラのポーズ　1番

②「顔が上がるよ。胸まで上がるよ」＝息を吸いながら、胸まで上げていき、後ろへ反りましょう。臍は床から離れないようにします（写真）。

コブラのポーズ　2番

②「顔が上がるよ。胸まで上がるよ。腕も伸ばして、後ろに反るよ」＝息を吸いながら、頭、胸を上げ、そして腕を伸ばして後ろに反ります（写真）。

コブラのポーズ　3番

②「脚を曲げて。顔が上がるよ。胸まで上がるよ。腕も伸ばして、後ろに反るよ。頭と足がつくかな」＝脚をお尻に近づけます。息を吸いながら、頭、胸を上げてゆき、腕を伸ばして反ります。頭と足を近づけます（写真）。

○息を吐きながら、うつ伏せへともどりましょう。

【効果】

＊緊張による背中の痛みを和らげ、脊椎症にも効果があ

コブラのポーズ　1番

コブラのポーズ　2番

ります。
＊自律神経の強化により、不安やイライラ、不眠症に効果があります。
＊気管支炎、ぜんそくに有効です。
＊背骨を柔軟にし、強化します。
＊腹部の脂肪が除かれます。
＊卵巣と子宮の強化に役立ちます。

コブラのポーズ　3番

クルッと回るシーソー

（ねじりを加えた三角のポーズ、
パリヴリッタ・トリコナ・アーサナ）

【やり方】

○両足をそろえて立ちます。
①両足は肩幅より少し広く離して立ちます。両腕を水平の位置まで上げます。
②「反対の足にピタッ」＝息を吐きながら、腰から曲げていき、右手を左足につけましょう。もう一方の手は、上へ伸ばし、その指先を見ます（写真）。
③息を吸いながら、上体を起こしていき、①の姿勢にもどります。
○同様にして左手を右足に近づけましょう。②③を左右交互に繰り返します。

【註】

＊このポーズは、**シーソー**（p.89）に、ねじりを加えたものですので、より内臓を刺激することができます。双

方の繰り返す数を少なめにして続けておこなうこともよいでしょう。

【効果】

＊脊椎をよくねじることができますので、脊椎の矯正に効果があります。

＊腎臓を活性化します。

鉄人のポーズ（バジュラーンガ・アーサナ）

【やり方】

鉄人のポーズ　1番

○直立します。

①「ガチャン、ギー」＝右足を大きく前に出し、右膝を曲げます。

②「ガチャン、ガチャン。鉄人のポーズ、ビーム」＝息を吸いながら、胸を前に突き出し、肘を曲げ、両手を上にあげます（写真）。

○息を吐きながら、右脚を元にもどし、直立姿勢になります。

○左脚でも、同様にしてみましょう。

鉄人のポーズ　2番

②「ガチャン、ガチャン。強いぞ、鉄人のポーズ」＝息を吸いながら、両手で握りこぶしを作り、肘を曲げて胸を張り、息を止めます。

【註】

＊子供の好きな△△レンジャーや、ロボットなどのイメ

ージで声かけをするなど、工夫してみましょう。

【効果】

＊生気の働きを活発にさせますので、身体が健康になります。

＊生き生きとした顔の表情が得られます。

＊手足、胸部の働きを活性化させます。胸や肺の発達を促します。

忍者「木に化ける」（木のポーズ、ヴァルクシャ・アーサナ）

【やり方】

○「精神集中」＝直立します。忍者のように胸の前で、人差し指だけを立てて両手を組み合わせ、しばらく静止します。

①「忍者、木に化ける。ドロンドロン――」＝両腕は、横へと伸ばし、片足で立ちます（写真）。

○逆の脚でも、同じようにしてみましょう。

【註】

＊お子さんにとって、片足立ちは、難しいものです。少しの時間でもいいですので、片足立ちの練習として見守ってあげてください。

【効果】

＊集中力が養われ、意志を強固にします。

＊平衡感覚も養われてゆき、力強く立つことができるようになってきます。

＊足全体の筋肉を強化します。

ケーキ（V字型）

【やり方】

○両脚を前に伸ばして座ります。

①（次におこなう、膝を伸ばすとV字型となるよう調節しながら）適度に膝を折り曲げ、お子さんの両足裏とを合わせます。両手は後ろにつきます。

②「ショート・ケーキをつくろう、足を上げていくよ」＝息を吸いながら、両脚をV字型になるよう上げます（写真）。自然に呼吸をしながら、五〜二〇秒保ちましょう。

○ゆっくりと吐きながら、両脚を降ろしていきます。

○次の「註」を参考にしながら、二〜三回おこないましょう。

【註】

＊完成ポーズ②では、意識を下腹に集中しましょう。

＊このV字型は、何人とでもできます。最初は、自分一人、あるいは上記のように二人でおこない、集団の場合は、さらに数人で輪となって両隣の人と片足裏ずつ合わせておこないますと、変化に富み、子供達も喜び

ます。「大きなケーキができるかな」との声かけもよいでしょう。

【効果】

*腹筋を鍛え、背中、ウエスト、おしり、脚、腹部のぜい肉を取り除きます。

*肝臓、腎臓、腸などの内臓諸器官を活性化し、便秘にも効果があります。

*泌尿器系、生殖器系に刺激を与え、生理痛や前立腺疾患に効果があります。

*座骨神経痛を防ぎ、また、リンパ液の循環をよくします。

*複数でする場合は、隣の人と一緒に作っていく過程で連帯感も生じます。

卵がパカッ、卵がゴロゴロ

（ガス抜きのポーズ2番、パヴァナ・ムクタ・アーサナ

【やり方】

卵がパカッ

○「卵に変身する人」は、仰向けになります。

①「卵に変身」＝両脚は折り曲げ、両手で抱え込みます（写真）。

②「コン、コン、コン」＝「卵を割る人」は、できた卵を割りにいきます。

やさしくたたきましょう。

「カパッ」＝「卵に変身した人」は、両手と両脚を伸ばしていって、大の字で仰向けとなり、そして力を抜きます。数回、繰り返しましょう。

○「卵に変身する人」と「卵を割る人」とを、お母さんとお子さんで交代しながらおこないましょう。

卵がゴロゴロ

②「卵がゴロゴロゴロ――」＝卵の形（①）のまま、普通に呼吸をしながら、前後、左右に数回、揺れます。

【註】

＊①では、両膝にあごがあたるよう卵のように丸くなり、腹部もしっかり圧迫しますと、より効果的です。

【効果】

＊腹部を圧迫することで、胃腸の働きが促進されるため、胃のもたれた感じを解消させ、便秘にも効果があります。

＊膝を抱えた後に、手足を解放させますので、リラックスが深まります。

イーする呼吸法（歯間から息を吸う呼吸法、サダンタ）

【やり方】

○本格的なお父さん座り（p.131）やお父さん座り（p.92）、お母さん座り（p.45）といった瞑想用の座法で座ります。背筋を伸ばし、肩の力を抜きましょう。

①上の歯と下の歯を合わせ、歯が見えるよう口を横に開きます（写真）。

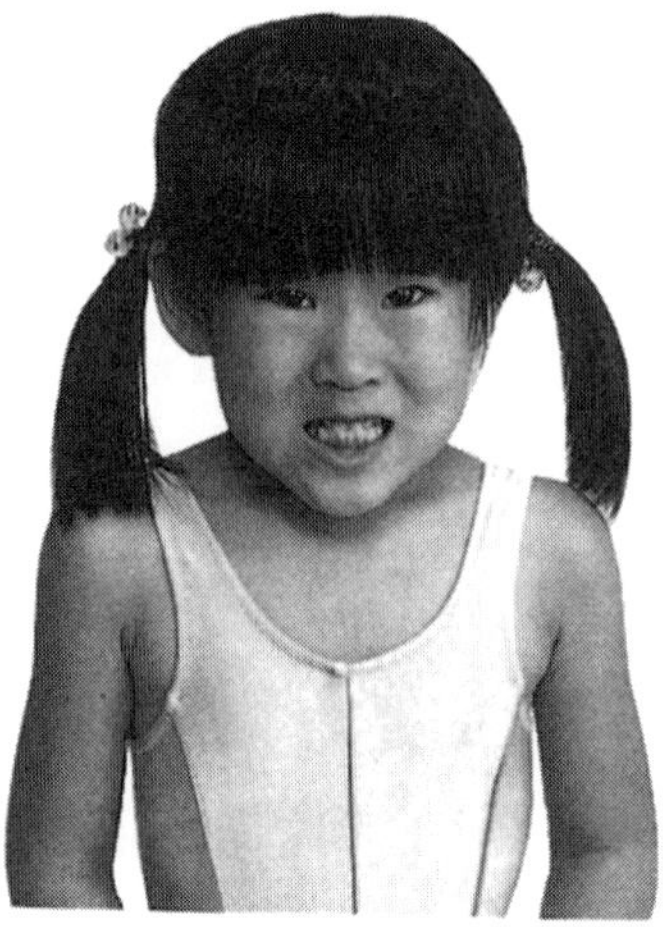

歯と歯のすき間から、ゆっくりと息を吸っていきましょう。

②呼吸を少し止めます。そして、両鼻から息を吐いていきます。

③息を吸う前に、心地よい範囲で息を少し止めます。

○①〜③を五〜一〇回繰り返します。慣れたら目を閉じてしましょう。

【註】

＊この他に、**ストローの呼吸法**（p.129）と**ウインナーの呼吸法**（p.102）も、ほぼ同じ効果があります。どれか一つ選んで実践してみましょう。

【効果】

＊体を冷やす効果があります。それゆえ、心は静まり不安や緊張が消えます。

＊呼吸器系の疾患に対する抵抗力を強めます。

＊特にサダンタは、歯槽膿漏や歯ぐきが敏感な人に有効です。

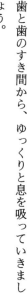

五　お母さんのマネッコできるかな　対象　産後1ヶ月以降からの母と子

マネができるお子さんと楽しめるもので、重要なポーズを集めてみました。

園児や小学生以降のお子さんが可能となるでしょうが、個人差が大きいと思います。小さなお子さんでもヨーガのマネが上手であればできますし、反対に小学生低学年でも関心を示しにくい場合には、これまでの第三章一〜四を中心におこなうとよいでしょう。

準備体操としての体位

その場でのランニング

【やり方】

○直立し、両腕は軽く曲げ、胸の高さで構えます。

駆け足

①その場で、駆け足をします。

横に足をけり上げる

①その場で、足を曲げながら横にけり上げます（写真）。

足をお尻に近づける

①その場で、お尻にあてるつもりで、けり上げます。

腿を胸に近づける

①その場で、腿を胸に近づけるつもりで、駆け足します。

○回数を数えながら、各ランニングを二〇回ずつ繰り返しましょう。

【効果】

＊様々な走り方をすることで、脚全体の筋肉をほぐし、血液循環を促します。

太陽礼拝（スーリヤナマスカール）

【やり方】

①「胸の前で合掌です」＝両足をそろえて、太陽の方向を向いて立ちます。胸の前で合掌します（写真）。

②「後ろ反り」＝両手を上にあげてゆき、上半身を後ろに反らせます（写真）。

③「前屈」＝上半身を前に倒してゆき、両手を床につけ、前屈します（写真）。

④「エビ」＝右足を後ろに伸ばします。胸を反らせ顔は上に向けます（写真）。

⑤「すべり台」＝左足も後ろに伸ばし、両脚をそろえます。足先から顔まで、すべり台のように一直線となるようにします。目は上に向けます（写真）。

⑥「猫のポーズ3番」＝腕は床に伸ばしたまま座ります（写真）。

⑦「脚と腕を伸ばして、コブラのポーズ2番」＝脚と腕を伸ばしながら、頭からお腹にかけて後ろに反ります。（写真）。

⑧「三角」＝腰を上げ、横から見ると、三角の形となるようにします。かかとは床につけたままで、アキレス腱をしっかり伸ばしましょう（写真）。

⑨「エビ」＝④と同じ形ですが、右足を前に移動させます。

⑩「前屈」＝左足も前に引き寄せ、両足をそろえます。両脚をしっかり伸ばし、前屈します。顔を膝に近づけま

しょう。③と同じ形です。

⑪「後ろ反り」＝両手を伸ばしたまま上半身を起こし、反ります。②と同じ。

⑫「胸の前で合掌」＝両足をそろえて、胸の前で合掌です。①と同じ形。

○呼吸は、写真の説明のように、あるいは、自然におこないます。三回を目安に繰り返しましょう。

【註】

＊伸びている部分や太陽のエネルギーを感じながら気持ちよくおこないましょう。最初は、難しいように思われるでしょうが、慣れてくると、全身を伸ばす気持ちよさが実感されます。そして、お子さんも「――エビ、すべり台――」のかけ声で、無理なくできるようになってきます。

＊前屈と後屈といった相反する動きを含め、連続したスムーズな動きにより、各ポーズの効果が相乗的に高められます。

【効果】

＊全身の血行を促すとともに、ぜい肉を取り除き均整のとれた体型となります。

＊若返りに効果があります。

＊便秘や皮膚のトラブルを解消させます。

＊柔軟となり背骨が矯正されます。

＊自律神経を整え、心を落ち着かせます。

＊太陽のエネルギーを意識することで元気が出ます。

②⑪後ろ反り　吸う

③⑩前屈　吐く

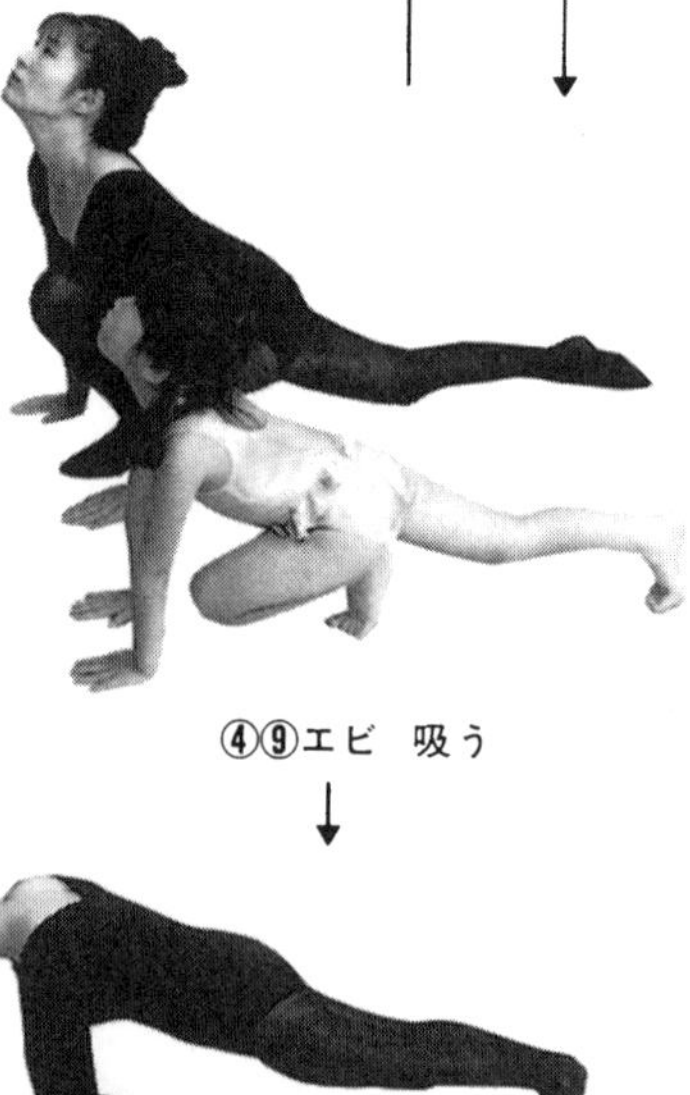

④⑨エビ　吸う

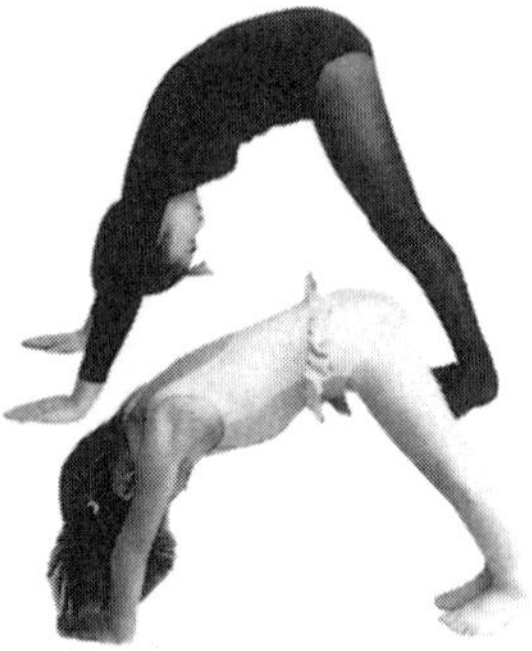

⑧三角　吐く

⑤すべり台　吸う

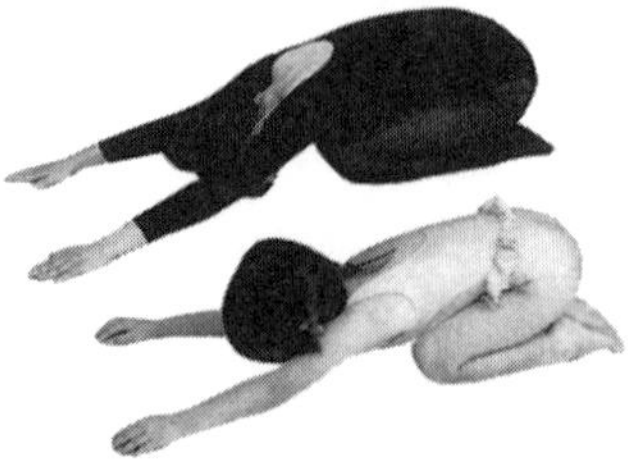

⑥猫のポーズ 3 番吸って吐きながら

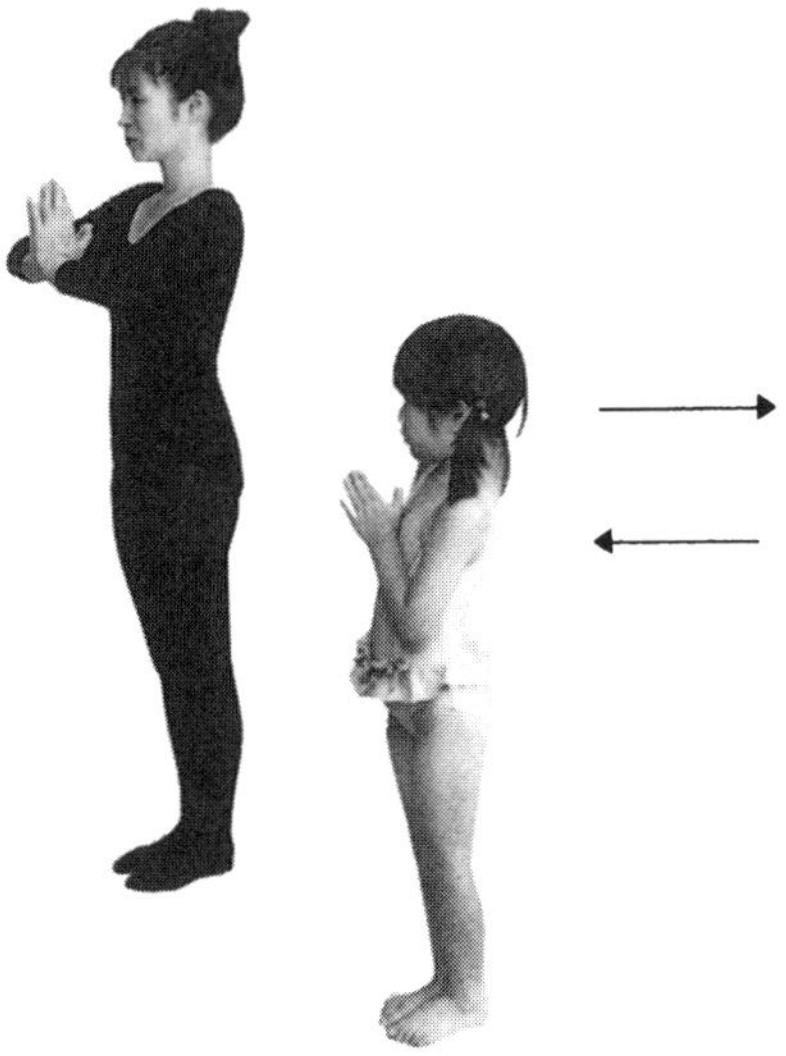

①⑫合掌

休息としての体位

仰向けでお昼寝

（仰向けでの休息のポーズ、シャバ・アーサナ）

【やり方】

○仰向けになります。

①「お昼寝の時間です」＝両手は体より少し離し、手の平を上に向けます。両脚は肩幅ぐらい開きます。目を閉じましょう（写真）。

⑦コブラのポーズ２番　吸う

②体の力を抜いてリラックスします。すると心も緊張から解放され、やすらかな状態が味わえます。しばらく、この心地よいひとときを感じてみましょう。

【効果】

＊心身が完全に休息します。

＊全身の神経と筋肉が完全にくつろぐので、血行がよくなり血圧も下がります。

＊自律神経の働きを安定させるため、緊張から解放され、興奮や疲れ、腹立ち、あせり、イライラが静まります。

＊さらには、自律神経失調症をはじめ、皮膚の疾患（ジンマシン、円形脱毛症、湿疹）や高血圧症、不眠症などにも効果があります。

山のポーズ（直立のポーズ、タダ・アーサナ）

【やり方】

○「まっすぐに立ちましょう」＝両足をそろえて立ちます。

①「お山のように動かないよ。目を閉じて、まわりの音も静かに聞きましょう」＝両手の指はそろえて、ふとももにつけます。全体重を踵からつま先まで均等にかけ、両眼を閉じます（写真）。外界のすべての音を抵抗なく

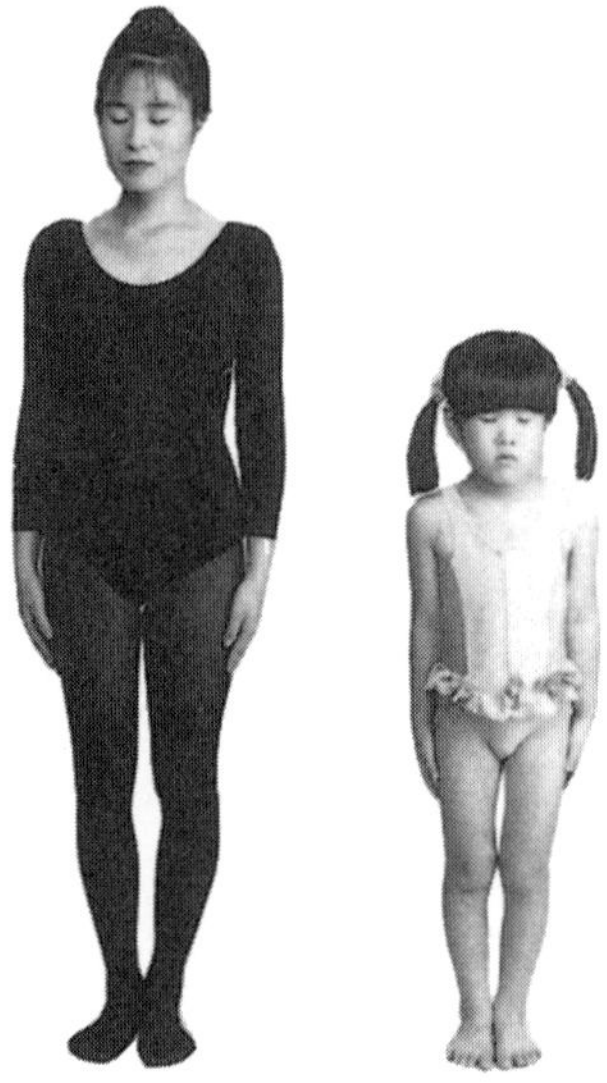

聞き、自然とともにいる気持ちになりましょう。

【註】

＊安定感がないように感じましたら、両足を肩幅に開きましょう。

【効果】

＊立ったままリラックスするのに最適なポーズです。

＊体重が両足の踵からつま先まで均等にかかるため、体が軽く感じられます。

＊プラーナ（生命エネルギー）が体内を均等に流れるため、心が落ち着いてきます。

じっくり伸ばす体位など

おもちつき（前屈のポーズ、パシモッターン・アーサナ）

［乳児〜］

【やり方】

○お母さんとお子さんは、床に両脚を伸ばして座ります。

①「柔らかくなった餅米をこねるよ」＝軽く前屈をしながら、両脚をまんべんなくさすります。

②「おもちつき、ペッタン、ペッタン――」＝前屈を繰り返しましょう（写真）。

③「手水をつけるよ」＝時々、隣同士で、脚をなでましょう。

○「柔らかいおもちができました。どんなにして食べようか？」　②③を数回繰り返した後は、お子さんの好きな食べ方（ぜんざい、ぞうに、きなこもちなど）を聞き、ジェスチャーで美味しくいただきましょう。

【註】

＊乳児の場合は、お母さんの脚の間に置き、優しく前屈していきましょう。

＊お子さんに前屈を意識させるために、「お顔が脚にくっつくと、もっと柔らかいお餅ができるよ」などの言葉かけもお勧めです。

【効果】

＊脚の後ろ側の筋肉を伸ばすことができます。

＊お子さんにとって、③ではスキンシップ、最後は、お餅を好きなようにして食べるというお母さんとの言葉のやりとりやジェスチャーが楽しめます。

弓のポーズ（ダヌル・アーサナ）

【やり方】

○うつ伏せになります。

①膝を曲げ、足首を両手でつかみます。

②息を吸いながら、腕はつっぱったまま上体と両脚を上げていき、弓のような形になります。お腹の部分で体を支えます。上方、一点を凝視しましょう（写真）。普通に呼吸しながら、しばらく保ちましょう。

○息を吐きながら、上体と両脚を床面へ降ろしてゆき、手を放し、うつ伏せ姿勢へともどります。

【効果】

＊内臓諸器官を刺激し、その働きをよくします。特に、腎臓の働きを促し、適正にホルモンを分泌させることで、低血圧、冷え性、リウマチ、四十腰、五十肩、椎間板ヘルニヤ、喘息などに効果があります。

＊胃腸の調子を整え、消化力を高めます。

＊性腺の活動を高めるため、不妊症、月経不順などに効果があります。

＊背中、そして腕や脚によい刺激が与えられますので、背骨全体が強化され、ギックリ腰やしつこい肩こりに効果があります。

＊胴体、腹部がスリムになります。

傘（牛のポーズ1番、ゴムク・アーサナ）

【やり方】

○**お母さん座り**（p.45）となります。

①「傘を作るよ」＝両手首の内側をつき合わせ、両手の先が外側へ向くよう手首をしっかりと伸ばします。その

まま、両手を左ひざ外の床面に置きます。その時、指先は前後に向いています。

②「傘を開いていくよ」＝息を吐きながら、両手を前後にすべらせ、左ひざ前の床面へと上体を倒していきます。両腕を前後にしっかり伸ばして、自然に呼吸します（**写真**）。

○「傘を閉じていくよ」＝息を吸いながら、背中を丸め、あごを引いて正座へともどります。

○反対側も同様におこないましょう。

【註】

＊両腕を前後に開いていく（②）前に、息を吸いながら腰を押し出すようにして背中を反らせると、さらに気持ちよくできます。

＊できるだけ大きく動かすつもりでおこなうことがポイントです。

＊なお、**牛のポーズ2番**（p.52）も、同じく肩こりに効果があります。

【効果】

＊肩こりに効果があります。

＊背骨のゆがみを正します。

やさしいねじりのポーズ

【やり方】

○両脚をのばして座ります。

①右脚を折り曲げて立てます。

②左手は、右ひざの外側にかけて、胸と膝の間を通すようにして、右足の甲にあてます。右手を後ろの床面につけます。背筋を伸ばしましょう。

③ひと呼吸入れ、息をゆっくりと吐きながら、右後ろへとねじってゆきます（**写真**）。後方一点を見つめ、自然呼吸で一〇～二〇秒間保ちます。

○息を吸いながら、ゆっくりと正面へともどっていき、力を抜きます。

○同様にして、左右二、三回ずつ繰り返します。難しい側を一回多くしましょう。

【註】

＊③では、背骨の一本一本をねじっていくつもりでおこ

ないましょう。

【効果】

*脊椎の異常を治し、腰の痛みにも効果があります。
*背骨を柔軟にし、全脊椎神経が強化されます。
*便秘、消化不良に効果があります。また、糖尿病、腎臓障害にも有効です。
*肝臓や脾臓の働きを促すので、体内に活力がわき上がります。
*首の筋肉を強化します。
*腰が細くなります。

呼吸法

ストローの呼吸法（舌を丸める呼吸法、シータリー）

【やり方】

○本格的なお父さん座り（p.131）やお父さん座り（p.92）、お母さん座り（p.45）といった瞑想用の座法で座ります。背筋を伸ばし、肩の力を抜きましょう。

①ストローのように舌を丸め（写真）、そこから息を吸っ

ていきましょう。
②自然に呼吸を少し止めます。そして、両鼻から息を吐いていきます。
③息を吸う前に、心地よい範囲で息を少し止めます。
○①～③を、五～一〇回繰り返しましょう。

【註】
＊難しいようでしたら、**イーする呼吸法**（サダンタ）（p.116）や**ウインナーの呼吸法**（シートカーリ）（p.102）をしましょう。いずれも、同じ効果があります。

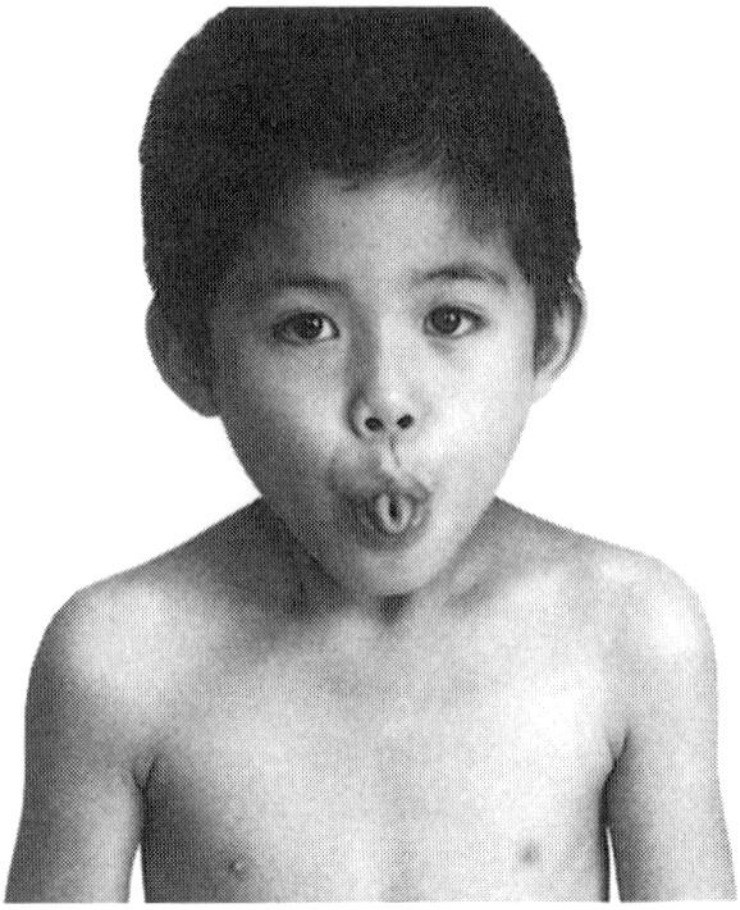

【効果】
＊体を冷やす効果があります。それゆえ、心は静まり、不安や緊張が消えます。
＊呼吸器系の疾患に対する抵抗力を強めます。

お腹ペッコン呼吸（脳細胞への刺激、カパーラバーティ）

【やり方】
○**本格的なお父さん座り**（p.131）や**お父さん座り**（p.92）、**お母さん座り**（p.45）で座ります。背筋を伸ばしましょう。
①お腹を引っ込めると、自然に息が吐き出されます。このように腹筋を使って強制的に吐き出します。
②腹筋をゆるめて、自然に空気が入るようにします。
○約1分間、①②をできる限り素早く繰り返しましょう。その後、息を止めます。たくさんの酸素に満たされているため、呼吸を止めても苦しくありません（自然呼吸停止状態、ケーバラ・クンバカ）。慣れてくると約一分間続きます。このとき生じる深い心の静けさを体験して

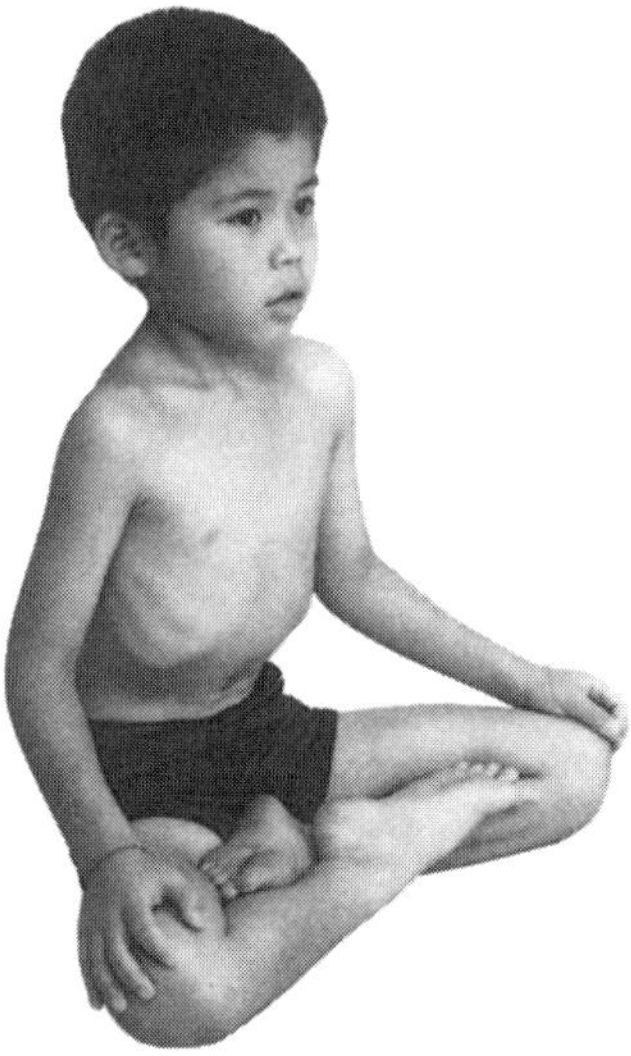

ください。

【註】

＊心と呼吸の状態とは密接に関係しており、呼吸が止まると、心の動きも静まります。この呼吸法は、直後に生じる自然呼吸停止状態で、心が静かになるため、瞑想前に最適です。

【効果】

＊血液中から二酸化炭素を取り除き、脳細胞を活性化しますので、実践後には頭もすっきりして知能指数（IQ）も高まります。

＊気道を浄化します。

＊内臓も刺激します。

瞑想用の体位（座法）

本格的なお父さん座り（結跏趺坐、パドマ・アーサナ）

【やり方】

○両脚を伸ばして座ります。

①左脚の膝を折り曲げて足の甲を、右脚付け根へと引き上げます。同様にして、右脚も折り曲げて左腿の上へ置きます。両足とも足の裏が上を向き、両かかとが近づきます。

②手は、人差し指を曲げて親指にあてて輪を作り、他の指は伸ばしたまま、膝の上に置きます。背筋を伸ばして、肩の力を抜きます（写真）。

○しばらくの間、軽く目を閉じて、静かなひとときを味わってみましょう。

【註】

＊先に上げる脚を交代したり、あるいは上がりにくい方を多めに組みましょう。
＊瞑想用の座法ですが、休息や呼吸法の時にも用いられます。足を腿に置くことで背筋が伸びやすくなるため、自律神経系が整い、心が落ち着きます。
＊両足を腿の上に置くことが難しい人は、片足だけを上げるお父さん座り（半跏趺坐）（p.92）をおこなってみましょう。

【効果】

＊意識がはっきりし、快適なポーズなので、長い時間座ることができます。
＊腰部より下の神経を強化し、働きをよくしますので、内臓、泌尿器系、婦人科系に効果があります。
＊腿についた余分な脂肪を取り除くことができます。
＊股関節が柔らかくなります。妊婦さんには出産の準備として重要な体位です。

第四章　瞑想法と本読み

一　瞑想法

瞑想法は、最も重要な行法です。瞑想法をおこないやすくするために、禁戒や勧戒、体位、呼吸法など、他の行法があるとさえいえます。

瞑想法で静かに座っていると、いつしか心の動きが静まり、自分の内にある満たされた感じ、幸せに包まれます。それは、プレゼントをもらった時や、目標を達成した時に感じられる一瞬の喜びとは異なります。心安らかな幸福感、心そのものが幸せなのです。『バガヴァット・ギーター』においても、「自分は満たされた完全な存在」と、記されています。それが心ほんらいの姿、自己の根本となる存在「アートマン、真我」なのです。そして、自分の内に既に存在していたし、これからもずっと存在する永遠性も直感されることでしょう。

お母さん向けの瞑想法

【やり方】

○「体位→呼吸法→瞑想法」の順で、心身を整え、心を静めていきますと、瞑想へ入りやすくなります。

①**お母さん座り**（p.45）、**お父さん座り**（p.92）、**本格的なお父さん座り**（p.131）等、瞑想用の体位で座り、背筋を伸ばし肩の力を抜きます。目を閉じましょう。

②次の例を参考にして、自分の集中しやすい対象を決めてください。

・**妊婦さんは、「お腹の赤ちゃん」**＝　まだ見ぬ新しい生命、お腹の赤ちゃんと心の交流をするようなつもりで心地よいひとときを味わってみましょう。

先祖から自分、そして子孫へと続く生命の連続性＝お母さんは、新しい生命を育むことで、「子供→自分→おじいさん、おばあさん――」といった生命の連続性が直感されやすくなります。仮に、祖先を一〇代さかのぼると一〇二四人、三〇代さかのぼれば一〇億を越します。そのうちの誰か一人でもいなければ自分も子供も存在しません。突き詰めていくと私たちの命は、この地球に命が発祥した三二億年前からつながっているといえるでしょう。さらに、生命を育んできた地球の誕生は五〇億年前であり、地球が創造されるに至ったのは一五〇億年前に生じた宇宙の誕生「ビッグ・バン」を起点としているのです。生命の神秘、悠久なる時間を感じながら静かに座ってみましょう。

地上のあらゆる生命と自分との一体感＝p.152のように、育児の中にこそ、この機会に恵まれているようです。子どもと一緒に虫や草花をながめていると、ふと童心にもどり、様々な生命やその緻密さに改めて気づき、自然の偉大さが直感される。「自分もこの自然の一部分だな、他の生き物と同じように大自然に包まれている――」と思われる機会に遭遇します。静かに座るひとときの中にも自然を感じてみましょう。

太陽、そして宇宙を感じながら＝朝から夕方までは、目を閉じて座っていても、太陽の光、明るさを感じることができます。「太陽のエネルギー→太陽光線が通ってくる遠い宇宙空間→太陽も一つの星に過ぎない大宇宙」へと、全てを包み込んでいる宇宙、人間には計り知れない大きな存在へと思いをはせながら静かに座ってみましょう。

聖者や神＝尊敬している聖者や、また、信仰ある場合は、その神を意識しながら、静かに座ります。

聖音オーム＝聖音オーム(p.91)を唱えることも、その響きへと集中していきますので、瞑想の前からおこなうとよい方法です。

「オーム瞑想」（ヴィベーカナンダ・ケンドラ・ヨーガ研究財団による）を紹介しますと、①お腹から声を出すつもりでオームを三回唱えます。②目を閉じて呼吸法に入ります。③心の中で「オーム」を唱えます。最初は早めのテンポで、徐々に速度を落としてゆき、最後には音さえ無くなった状態へと移ります。

身体の一部や呼吸の流れ＝他に、腹部や眉間など身体の一部分やチャクラの位置、呼吸の流れに集中する方法もあります。

③以上のような自分の好む対象物を感じながら、目を閉じて静かに座っていますと、しだいに次のような意識の変化があります。

凝念《ぎょうねん》（ダーラナ）＝心を短時間、ある特定の対象物に集中させておく。

最初、対象物への思いは長く続かないでしょう。途切れてしまったら、再び対象物に集中します。こうした短時間の集中を繰り返していきます。

静慮《じょうりょ》（ディヤーナ）＝長時間、ひとつの対象物に意識を集中していられる。

短時間でも集中を繰り返しながら、静かに座る経験を積んでいますと、その集中がしだいに長く、無理なくできるようになってきます。

三昧（サマダィ）＝自分という意識が失せ、対象だけがある。至福。

この状態では、満たされた感じ、内なる幸せが味わえます。

○一〇〜三〇分を目安に座りましょう。慣れていないうちや時間に余裕がない場合は一〇分でもけっこうですし、時間も許され心地よければ三〇分に関係なく続けましょう。インドの修行者達は、数日間も瞑想することがあります。

【註】

＊初心者の方は、瞑想用の体位で「背筋を伸ばすと、力が抜けないようで――」と、感じることも多いようです。積み木では、一つ一つがきちんと重なっていると、なかなか倒れません。背筋を伸ばすことは、このように背骨の一つ一つが安定した状態で重なっていることを意味します。ただし、人間の場合、正しい姿勢とは、

横から見ると脊椎がゆるやかなS字型を描きます。いくらか体を前後させてみて、安定する位置を感じ、定めましょう。そして、肩から力を抜くことで安定したリラックス感が味わえます。

＊まだ慣れていない時や気になることがある場合には、日常のことが思い浮かぶことがあります。その場合、「いつも、色々なことを思って過ごしているんだな」、「こんな事が、自分は気にかかっているんだな」などと、日常における自分の心を知る機会でもあります。その内容のうち、着目するに値しない事＝日常の雑事など着目するに値しないことは、気に止めず、そのまま流していきましょう。

悩みや仕事内容など気になっている事＝瞑想中は、意識される様々な事象について、平静な自己観察が可能となります。悩んでいる、気になっていることについては、あたかも他者を見るように客観的に観察でき、広い視野で今まで見えなかった部分に気づくことで、楽になったりします。仕事面でも展望が開け、ひらめき、ヒントを得ることもあります（p.19参照）。

＊なお、深いくつろぎ&イメージ・トレーニング（p.46）は、仰向けでの深いリラックスをもたらすものですが、瞑想と同様に、調和、歓喜、智恵を生じさせますので、座っての瞑想の代わりとしておこなってもよいでしょう。無理なくできますので、特に、体調がすぐれない時にもお勧めです。

【効果】

＊自然や宇宙という自分を包み込む大きな力が実感されていき、生かされ、守られているという大きな安心感、心安らかな幸福感に満たされます。

お子さん向けの瞑想法　お地蔵さん

【やり方】

○「これから、お地蔵さんになるよ」＝お父さん座り（p.92）で座ります。

①「お地蔵さんは、手を合わします」＝合掌します。

②「お地蔵さんは、目を閉じます」＝目を閉じます

○「お地蔵さんは、目を閉じたまま、手を合わせたまま、じっと動かないで座っているよ」＝できる範囲で、しばらく静かに座ります。

【註】

＊繰り返すうちに数秒から数分へと、徐々に瞑想時間も長くなるでしょう。

【効果】

＊集中力がつきます。

二　本読み（聖典読誦）――豊かな人間性と好奇心を育てる

インドでは、幼少の頃から『バガヴァッド・ギータ』などの聖典とされる物語を親が読み聞かせるそうです。そこには人生の生き方が凝縮されており、その後、その子の生きる上での指針となるそうです。

禁戒（ヤーマ）と勧戒（ニヤーマ）

ヨーガでは、「他者との調和、自分との調和、自分を越えたすべてを包む自然や宇宙との調和」を目的とし、そのための方法として、『ヨーガ・スートラ』の第二章二九節に、「ヨーガは八部門から成る―禁戒(Yama)、勧戒(Niyama)、座法(Asana)、調気(Pranayama)、制感(Pratyahara)、凝念(Dharana)、静慮(Dhyana)、三昧(Samadhi)」があげられています。ここでは、生き方の指針である「禁戒と勧戒」について述べていきます。

第一部門　禁戒

主義や主張、時代、国籍、男女の別など、全てを越えて、人として守らなければならない戒律「大普遍法(Sarvabhauma Mahavrata)」と呼ばれています。周囲から信頼を得、心の静寂が保たれることから、高い人間性へと至ります。

＊非暴力（アヒムサ）＝どんな生き物に対しても、肉体や心を傷つけないことです。
＊正直（サチャ）＝見たり、聞いたり、理解した通りに真実に基づいて語り考え、行動することです。ただし、正直ではっきりとしているとはいえ、「非暴力」にしたがって他人を傷つけないようにすることは大切です。
＊不盗（アステヤ）＝食べ物、服、金銭、土地財産、異性など他者の様々な事物を盗まないことです。
＊禁欲（ブラハマチャリャ）＝あらゆる欲望を節制することです。
＊不貪（アプリグラハ）＝色々な物を必要以上にむさぼらない、執着しないことです。さらに獲得し保持しようとする所有欲に心が乱されたり、失った時に、自分自身の苦悩となるからです。また、限られた自然の恵みを必要以上に浪費すれば、他者や他の生物の食べ物が無くなったり、未来の人々へ残せなかったり、生態系が崩れることにもなりかねません。この不貪をおこなっていけば、ささやかな事物にも自ずと心が満たされてきますので、日常生活を心おだやかに、幸せを味わいながら過ごせるようになります。

第二部門　勧戒

禁戒は周りの人や物への心がけですが、勧戒は自分に対する心得です。高い境地に到達するために、心身の聖化、浄化を教えています。
＊清浄（シャーウチャ）＝肉体と心の両面を清潔に保つことです。身体外部では入浴や洗浄、身体内部にはヨーガの身体浄化法などがあります。心の浄化とは、憎しみや欲望、慢心など、不純な心を少なくし、聖化することです。
＊知足（サントーシャ）＝自分が努力して得た物や結果を受け入れ、感謝することです。期待よりも少ない物しか手に入らなかったとしても失望せず、反対に、期待した以上に物が入ったからといって有頂天にならないことです。
＊苦行（タパ）＝修行することを意味します。今まで述べてきたような戒律を守るだけでも実際には難しいことでしょうが、実践することによって、外界の様々な刺激にわずらわされなくなり、心がおだやかになってゆ

きます。

＊読誦（スワディヤーヤ）＝**聖音オーム**（p.91）やヴェーダ聖典中の真言を唱えたり、声を出して祈ること、あるいは、解脱を説く聖典を学習し、自分が何であるか、どうあるべきかを探求することです。

＊最高神への信仰（イシュワラ・プラニダーン）＝お祈りのことです。どんな時にも「守ってくださる」という神を意識していますと、安心感のもとで困難も乗り越えることができ、また、どんな結果にもとらわれなくなります。おのずと精神はおだやかになってきます。このように、神を常に意識することは、解脱、悟りの境地への近道でもあるのです。現在、信仰のある方は、その信じている神様、仏様、ご先祖様などを、そして、特別な信仰がない方は、自然や、それをも内包している宇宙など大いなる摂理に思いをはせながら、心のやすらぎを感じられるとよいでしょう。

以上、禁戒と勧戒を説明してきました。ヤーマは、道徳、一般常識と思われるかもしれません。しかし、生じている問題を見てみますと、その大切さが痛感されます。生命あるものの心身を傷つけないという非暴力が守られていない場合は、校内暴力や家庭内暴力、いじめが生じます。他者の物を盗まないという不盗を守っていない場合には、万引きが起こります。万引きは、戦後のように食べたり着る物もなく困っていたからしかたなくやったという理由から、現代ではゲーム感覚、スリルを味わうためという動機へと移り、しかも低年齢化し、小学生のケースもあります。生徒指導する先生は、その生徒が「盗むことはいけない」という道徳観がないため、指導が難しくなっている現状にあります。このように現代の日本では、数年～数十年の間に青少年に関する問題が多様化しており、教育現場も生徒指導で忙しく、社会の一員として生きるための道徳観、倫理観を備えていないゆえに、その解決が困難な状況に置かれています。確かに、学校では道徳の時間がありますが、子供達は、それ以前の幼少期に、お母さんやお父さんとの交流を通じて、生きるうえでの基盤である性格や善悪の価値判断を形成していくのです。身につけられた禁戒や勧戒によって、周囲の人達から信頼を得ていきますので、お子さん自身の自信へとつながります。そして、生きる充実感、幸福感ももたらされます。

禁戒、勧戒の大切さを述べてきましたが、しかし、完全に守るのは難しいことでもあります。たとえば、あるインドの聖者は、「瞑想していると、全てのこだわりもなく無欲になる時間がある。しかし、続けていると、お腹がすく時間となり食欲が出てくる。生命を維持するという生理機能が働き、全く無欲となることは実際には難しい。」禁戒や勧戒は目標でもあります。できる範囲で、お子さんに伝え、そしてお母さんも自己を振り返る材料とすればよいでしょう。

楽しい本読み

母と子のヨーガ教室に初めて来たお子さんは、本読みの時、ソワソワして落ち着きのない様子ですが、数週間後にはジッと本に向かう姿が見受けられます。一歳のお子さんでも本に近づいて来て指さす行動が見られます。本読みの時には、子供達の目はキラキラしているのです。子供達の旺盛な好奇心、何かを知ることが楽しいといった知識欲が感じられます。

以前に調査(野坂、一九九四)したところ、「家でも本を読んでほしいと言うようになった」という報告がありました。ヨーガ教室での朗読がきっかけで、子ども達は本が好きになり、ほとんどのお母さんが家庭でもお子さんに本を読んであげるようになったそうです。身近なお母さんやお父さんが朗読を続けていくと、子ども達は本が大好きになっていきます。また、本読みに入る前に、本の題名をゆっくりと一字ずつ確認するように読んでいくことをするだけで、文字にも興味を持っていきます。小学校に入ると、教科書や参考書などが必需品となりますが、幼少より本が好きになることで、抵抗なく学習にも入っていけることでしょう。本読みの時、一生懸命に話を聞くという習慣から、先生の話もよく聞けるようになることでしょう。

また、「ヨーガでの絵本の内容を、思い出したように言うことがあって、ビックリさせられることがあります」

との報告もあり、絵本での内容が、お子さんの記憶として定着しつつあることもうかがえます。このように、大好きな本読みの中で、お子さんは興味を持って内容まで吸収しているのです。本読みは、お母さんがお子さんへ何かを伝えるための一つの手段といえます。

お母さん向けの本読み

【やり方】

○本の準備＝心やすらぐような智恵が含まれた書物であればいずれでもかまいません。なお、ヨーガの流れを有する聖典としては、インドの古典でもある『バガヴァッド・ギーター』、『ラーマーヤナ』、『マハーバーラタ』、プラーナ文献、奥義書（ウパニシャッド）、ヴェーダ聖典、六派哲学に属する書などがあります。また、ヨーガなどの修行を実践し、人々から尊敬されている聖者達の言動が記された書物（伝記や講演録）もお勧めです。

○いつ＝「体位↓本読み↓呼吸法↓瞑想法」——瞑想法の中で、本の内容が禅の「公案」のように意識され、広い視野での内省やひらめきを得る機会となることでしょう。「体位↓呼吸法↓瞑想法↓本読み」——頭がクリヤーとなり集中力が高まった状態の中で、読みすすめますので、理解力が深まることとなります。「本読み」——プログラム時間に余裕がない場合は、都合のよい時に本読みをしましょう。なお、眠る前の時間を利用すれば、一日の雑多な思いが静まり、心おだやかに眠りにつけることでしょう。

【効果】

＊人生を見つめる機会、あるいは生きる道しるべとなったり、智恵といわれる大きな視点に触れることによりホッとした安堵感や幸福感が味わえます。

お子さん向けの本読み

【やり方】

○本の準備＝禁戒と勧戒（p.138）や、次の例も参考にして、お子さんの興味を促したり、世界を広げるような本を選んでみましょう。お母さんご自身も一緒に楽しんでみてはいかがでしょうか。
イソップ物語＝近代の教育界に多大な影響を及ぼしてきたイギリスのジョン・ロックは、「教育に関する考察」で、児童の教育に有益な書物として、『聖書』『イソップ物語』『ルナール狐物語』の三つをあげています。『イソップ物語』は、動植物が登場する中で教訓も含まれており、また話も短いため未就園児の小さな子供達にも喜ばれるものです。
日本昔話＝優れた内容に富むものがたくさんあります。例えば、「したきりすずめ」では、やさしくてあまり欲のないお爺さんがおみやげに選んだ小さいつづらには宝物が入っていたのに対し、いじわるで欲張りなお爺さんは大きなつづらを選び、中にはお化けが入っていた結末となっていますが、これからは、欲張らないほうがいいという「不貪」が読みとれます。
正義のみかた＝子供たちは正義の味方が大好きです。例えば、アンパンマンは、小さな子供たちにもなじみやすいようです。困っている人を助ける優しさや思いやり、そして、苦難の中でも、あきらめることなく頑張る、そこには自分に与えられた状況を懸命に生きる姿が見られます。
自然や宇宙＝虫、鳥、花といった自然や、太陽、月、星などの宇宙は、実際に屋外で見るのが一番ですが、本では、動植物の生活など長期の観察を要するものや気づき難い事柄、あるいは身近でない生き物を知ることができますので、お子さんの興味をさらに促すこととなります。肉眼では見られない天体の写真では、浮き輪をつけて泳いでいるような土星や、目のような模様がついた木星、真っ暗な宇宙にぽっかり浮かぶエメラルド・ブルーの海に白い雲が印象的な私たちの住んでいる地球といった、神秘的な美しさを楽しむことができます。ロケットのお話も楽しいですね。
○いつ＝「準備体操としての体位、じっくり伸ばす体位→休息としての体位→本読み――（p.137参照）」このように心身ともスッキリした後に本読みに移りましょう。理解力、集中力が高まります。
【効果】
＊豊かな人間性、および知ることの楽しさ、知的好奇心

を育みます。
*本が好きになり、おのずと学習習慣を身につけていきます。

第五章　日常生活とヨーガ

お子さんによい種をまきましょう

様々な育児情報が氾濫している今日においても、子供の頃の家族生活に満足していた母親の場合、育ててもらったように自分の子供も育てたいという人は半数を超えており、また、子供のことをより愛しいと思う、という研究報告（小沢、一九七四）があります。「心を広げ、安定した愛情を子供に与える」ことは、また、その子も大きくなって同じように赤ちゃんを育てていく――子孫代々まで少なからず影響することでしょう。インド哲学では、原因によって結果が生じるということを「カルマの法則」といいますが、よい種をまくと、素晴らしい花が咲き、それがまたよい種につながるという大きな流れが感じられます。

お母さん、お疲れさまです

このように心を広げることが大切だとわかっていても、実際におこなうのは至難の業と感じられるお母さんも多いことと思います。女性の場合、結婚を期にして、夫に対しての妻、義父や義母との関係では嫁、家事をこなす主婦という役割が加わり、そして、お腹に子を宿してからは母となります。このように、お母さんは、外での仕事を持っている人もいます。このように、お母さんは、ひとり四、五役をこなすスーパーウーマンなのです。

また、育児も端から見るより、大変な仕事ですね。妊娠中は、母子ともに健康であることの気遣い、一般には、つわりや妊娠中毒症などにも悩まされる妊婦さんも少なくありません。そして、出産という大仕事。それからは、度々のおむつ交換や、数時間おきの授乳が続き、夜もゆっくりとは眠れません。子供の成長を心待ちにしつつも、歩き始めると、どこで何をしているのか、気を許すことができなくなります。二、三歳になると、ずいぶん自分でできることも増えていき、お母さんの言葉も通じるようになって、ひと安心と思っていると、とんでもないことが起こってしまいます。怒られるかなと、わかっていても、やってしまう——。ここで、エピソードを一つ。「三月のまだ寒いある日、兄妹二人が庭先でシャボン玉遊びをしていました。そのうちに、三歳過ぎの妹が、シャボン玉液をシャンプー代わりに自分の頭と、さらには四歳のお兄ちゃんの頭にもつけて喜んでいたのです。二人とも風邪気味なのに——」

母と子のヨーガ教室に参加していたあるお母さんは、ご主人に「おまえは、毎日子供と公園に行って遊ぶだけでいいんだから楽なものだ」と、言われたそうです。確かに、お父さんは、たまに休日を利用してお子さんを公園へ連れていくと、その無邪気さ、可愛らしさにふれて、日頃、上司に頭が上がらない我が身に比べ、お母さんがうらやましくなるのかもしれません。しかし、大人の頭では予期せぬことを平気でやりこなすエネルギッシュなお子さんを、毎日お世話するのは、大変なことです。

また、お子さんが幼稚園や小学校へ行くようになると、いくぶん手がかからなくなるものの、ピアノやスイミングなどの習い事や学習塾が始まり、溢れる情報の中で、お子さんの進路について心配、ややもすれば不安になりがちです。

以上のように愛情を子供に与える、愛情を持って接することは重要だと、わかっていても、お母さん自身が疲れている時や忙しい最中、世間の尺度が気にかかっている時など、なかなかできるものではありません。

ヨーガのすすめ

園児を持つお母さんから次のような、お話をうかがいました。「子供を送り出すまでの朝は、いつも弁当作りに始まって忙しく、子供を叱りつけて心に余裕がありません。しかし、先日、ヨーガ体操や瞑想を早朝におこない、その朝は、優しく子供を送り出してやることができました。そして、子供が帰ってきて、『今日のお母さんがいい』と言いました」

ヨーガ実践によって、「不安や緊張感が少なくなる、怒りの感情が減じる、心が落ち着く、気分が爽快となる、やる気が出る、満足感が味わえる、心が広がる」ように、精神が安定し向上することが、心理学や医学などの現代科学においても認められています（p.18参照）。心に余裕がない時は、子供を親の感情で叱りとばす。すると、子供もよけいに反抗したり、泣いたり——と、かえって時間もかかり、悪循環が繰り返されることにもなりかねません。しかし、このようにヨーガをおこなうことで心が広がった状態では、お母さん自身の心にゆとりが出てくるため、日々の生活も楽しさや幸せを感じることができます。こうして、お子さんに対しても自然とよい関係となります。

先に、体位、呼吸法、瞑想などについての技法を紹介し、少しの時間でも毎日おこなうことを勧めてきました。ここでは、さらに、「外側の世界と調和する」ならびに「内側の世界と調和する」という観点に立って、日常生活の中での気持ちの持ち方、心のあり方を主に述べていきます。また、序章もあわせてお読みいただければ、より深くご理解いただけることでしょう。

一　外側の世界と調和する

日常生活は、心をみがく絶好のチャンス

ある時には、お母さん、そして妻、また、ある時にはお嫁さん——と、一人で何役をもこなす女性にとって、日常生活には、正直いって「いやだな」と思うも少なからずあるでしょう。しかし、この「いやだな」と思う事柄も、自分のプラスとなる可能性を秘めているのです。例えば、かの哲学者として有名なソクラテスの妻は、ひ

どい悪妻として名高かったそうです。「ある日、ソクラテスの妻は、怒り、ののしり、暴言を吐いた後、ソクラテスに水を頭からぶっかけました。ソクラテスは『雷の後は、どしゃぶりが降る』と言っただけでした。また、ある日、彼の弟子が『先生、わたしは結婚をするべきでしょうか、それとも、しないほうがよいのでしょうか』と、尋ねたところ、ソクラテスは、『結婚するべきである。妻が心優しければ、君は幸せになるであろう。悪妻であれば、哲学者になれる』と答えました」ソクラテスが偉大な哲学者となったのは、悪妻といわれた妻のお陰だといえるかもしれません。ソクラテスは、通常では不幸と思われる境遇から逃げることなく、反対に自らの心を磨く機会とし、その結果、後世の人々に感銘を与えるまでの偉大な人物となったのでした。インドの古典で聖典とされている『バガヴァッド・ギーター』においても、「苦境から逃げることなく、それは、自分に必要だから与えられた境遇として、乗り越えていく」ことの大切さが説かれています。ストレスをバネにして成長していく。いつしか自分を振り返ってみると、「なんとか乗り越えたかな」「少しは成長したかな」「逃げなくてよかった」と思われる時がおとずれることでしょう。

日常生活は心を磨く絶好のチャンスであり、磨かれると自然に外界との調和も生じてきます。それでは、「心を見つめる」と「内観法」、そして、「カルマ・ヨーガ」の三つの方法について紹介していきましょう。

心を見つめる――心が静まり、深みが出てくる

お母さんはお子さんに、周囲の人々との中で暮らすための社会ルールや、安全に生きられるための事柄などを、教える立場にありますから、当然、叱ったり、注意する場面があります。しかし、お母さんも人間ですから、つい感情的になって、愚痴をこぼしたり、たたいたりするだけで、子供にはどうして叱られたのかが伝わらないこともあるでしょう。そんな時、「今、私は感情的に怒っているな。でも、本当は何を子供に伝えたいのか――」と、自分の心を他者のように客観的に見つめてみましょう。すると、心も幾らか静まっていきます。そして、「どうし

ていけないことなのか」を、お話しできることでしょう。
また、心を見つめることは、人間関係での悩みも薄らげる作用があります。苦痛な体験——それを乗り越えるのは確かに大変なことです。しかし、その中で自分の中にわき上がってくる憎しみや怒りなど感情の暗い部分を見つめる。様々な感情に気づいてゆく。自分の心の中にあるとらわれや、弱さ、醜さまでも見えてきます。「自分にも過ちや暗い面、弱点、心の醜さがあるんだから、他の人にあっても当然——」。自己の暗い面も、他者の嫌だと思っていた面も、同じ人間として認めることができる——いつしか、広い大きくなった自分に気づくことでしょう。人を憎む心や、今まで引っかかっていた事柄がおのずと失せ、自分の外にある人々や生じてくる物事との調和が生まれてきます。楽になります。そして、他者の悲しみや辛さも身をもって共感できるようになり、自然と優しさも増し、人間性が豊かになることでしょう。

【やり方】

○自分のことを見つめる自己、いろいろな役割を担っていても変わることのない根本にある自己のことを「真我、アートマン」といいます。日常生活において、心の中で他者のように自分を見つめる存在「真我」を意識して、自己の動いている感情を観察しましょう。そして、自分の心に気づいてみましょう。

【効果】

＊心が静まります。

＊自分の心の動きがわかるようになります。他者の許せる部分も広がります。

＊心に深みが出てくるとともに優しさも増します。

内観法——まわりの人達のお蔭が見えてくる

すべての人が幸せであらんことを
すべての人が無力から開放されんことを
すべての人が他者の善行を見んことを
誰もが悲しみに遭わざらんことを
(アーユルヴェーダの祈り)

私たちは、「あの人は××をして、私の心は傷ついた——」、「私はこれだけ、あの人のためにしたのに——」と、他者については悪い面や嫌な面が気にかかる反面、自分については他者にしてあげたことが頭に残ってしまい、不平不満となりがちです。先の、アーユルヴェーダの祈りに、「すべての人が他者の善行を見んことを」という一節がありますが、他者の善行を見ることは、他者だけでなく、自分にとっても幸福感をもたらすものです。他者の良い面や自分のいたらない面に気づいていくことで、素直に生かされている幸せを得ることができるのです。

次に、最良の方法として、内観法を紹介しましょう。

一九三〇年（昭和五年）頃、吉本伊信により創始されました。身調べという一種の宗教的行が土台になっており、これから宗教色を取り去り、実行しやすく組織化されたものです。その後、内観を学問的に研究しようとする動きが強まり、医学や心理学、教育関係者が中心となって一九七八年に日本内観学会が結成されました。内観国際会議は一九九一年に東京で第一回が開催され、一九九四年にはウィーンにて第二回が開かれましたが、そのとき内観国際学会が結成されました。

現在において、内観は、少年院や刑務所での矯正教育の一環として取り入れられたり、学校教育の場では人間形成の方法としての実施や、また神経科や心療内科においては、心理療法の一つとしても用いられています。

代表的な集中内観法では、約一週間の宿泊研修の中で、静かな落ち着いた部屋にて朝から晩まで身近な人について内観のテーマに集中し、一〜二時間毎に一回三〜五分の一日約八回、気づいたことを報告（面接）する形式をとります。一例として、ドイツに住むある青年の体験談を紹介しましょう。

「彼のお母さんは、ひどいアルコール中毒でした。青年は、このようなお母さんが好きではありませんでした。そして、彼の外見は、俗にいうツッパッタ感じで、何かに反抗している様子でした。ある日、彼はお母さんについて『してもらったこと』を内観しましたが、それはお母さんに対する不平不満ばかりでした。ところが、数日後、『そういえば、お母さんは、どんなに酔っぱらって帰っても必ず自分に食事を作って食べさせてくれた――。それなのに、自分はお母さんを悪く思うだけで、何も親孝行らしいことをしたことがなかった――』と、涙ながらに語ったそうです。数年後、その青年に会ったところ、彼は結婚し、子供もいました。外見も、以前のようなツッパッタ面影はなく、家庭的なお父さんといった様子でした」

本書では、日常生活の中でのやり方を次に紹介します。

【やり方】

○親や配偶者あるいは子供など身近な人との交流の中で、その人達について次のテーマで調べてみましょう。なお、さらに過去までさかのぼってみることは、気づきがより深まることとなります。

①世話になったこと、していただいたこと

②して返したこと、自分が分け与えたこと

③迷惑をかけたこと

【効果】

＊「自分一人だけでは生きていない、他の人との支えの中で生かされている、愛されている——」、といった周囲と自分との関係が実感され、おのずと感謝の念や生かされている喜び、やすらぎ、開放感などに満たされます。

カルマ・ヨーガ——今の瞬間を大切に

カルマ（Karman、業）とは、「身体・言語・心による行為は、必ずその結果をもたらし、また、現在の事態は必ずそれを生む行為を過去に持っているという思想」のことを言います。このように、すべての行為は、過去→現在→未来という関係を有しているのです。

人間は、何かをする時に、その結果を期待しながら動いています。もし、結果が予想以上だと、成功したと思い嬉しくなります。反対に、結果が予想以下であれば、失敗したように思われ、悲しくなったり落胆してしまいます。インドの古典であり聖典とされる『バガヴァッド・ギーター』では、「あなたは行為のみ選択でき、その結果は選択できません」と、カルマ・ヨーガの本質を語っています。人間が選べるのは行為であるとし、結果は、その行為によって必然的に導かれるだけなのです。カルマ・ヨーガでは、「全ての結果は、神の法則、すなわち宇宙に存在する法則にしたがって生じる」という理念の中で、行為をおこなうことです。結果は大いなる摂理により、あるいは神から自分に与えられたと思うと、どんな結果でも受け入れられる気持ちになります。

現在の出来事は、その原因が過去にあるのですが、もし、現在、失敗している場合、単に過去を悔やみ、自分や他者をせめ、行き詰まることはありません。その結果をこれから変化させていくためには、原因である行為を変えればいいだけなのです。現在の行為は、さらに未来へと通じていることを忘れないでください。「過去は反省の材料」とし、これから未来へ向かって、「今、何を、どうすればいいのか」を見直し、実行すれば、きっと未来は開けてくることでしょう。ちなみに、カウンセラーも、相談に来た人から話を聞く中で、同様に、その人の過去を整理し、未来へ向かって、今、何をすべきかを探す手伝いをしているのです。先の、自分の**心を見つめる**(p.148)を生活の中で実践していますと、カウンセラーの助けも必要とせず、自分のことが自分でわかってきます。この自分の心を見つめるとともに、「行為は選べるが、結果はその行為にしたがって生じる」という理念のもとであれば、結果が期待以下だった場合に生じる後悔や悲しみの感情にふりまわされることがなくなります。結果は反省のための材料なのです。行為ができる今の瞬間、瞬間を大切に、それでいて肩の力を抜いて生きてゆけるようになります。宇宙の法則や自然の摂理、そして、その恩恵を感じながら生きる。人生を喜びの中で過ごせるようになっていきます。

育児といっても、ひとりひとり子供は異なりますし、初めての経験では、迷うことも少なくないことでしょう。たとえ、失敗しても、その気づいた時に、始めていく。気づいた時に、よい芽が出るような種を蒔けばいいのです。きっと、いつしか、美しい花が咲くことでしょう。

以上をまとめますと、

【やり方】

①「すべての行為には、『過去→現在→未来』という関係がある。人間が選べるのは行為であり、結果は、その行為によって必然的に導かれる」という原理を理解します。そして、「全ての結果は、自然の摂理、宇宙(神)の法則にしたがって生じており、その結果は、自分に必要として与えられた」として行為することです。な

お、この自然、宇宙、神など大いなる存在を直感するためには、瞑想法(p.133)や大自然、生命を感じる(p.152)をご覧ください。

②もし、失敗をした場合でも、「過去は反省の材料」とし、これから未来へ向かって「今、何を、どうすればいいのか」を見直し、実行します。

③すると、①のような「過去↓現在↓未来」というカルマの法則によって、必然的に未来も導かれてきます。

【効果】

＊結果が期待以下だった場合に生じる後悔や悲しみの感情にふりまわされることがなくなります。

＊たとえ失敗でも、反省の材料とし、未来を造っていく機会となります。

＊行為ができる今の瞬間、瞬間を大切に生きられるようになります。

＊宇宙、神といった大いなる存在を感じる中で生きていきますので、心に安心感、平安が得られます。

育児は心の広がりに恵まれています

育児は、いつとなく子供を世話することで忙しいものですが、ふと、視野が広がり、心温まるひとときがあります。子供に色々なことを説明していく中で、今まで意識していなかった部分にもスポットがあたります。例えば、魚屋で、刺身を買った時、「ありがとう」を子供と一緒に言おうとします。でも、どうして「ありがとう」って言うのかなと、ふと、振り返ってみますと、「(ありがとう)↓魚のうろこや内臓を取り除き、三枚におろして皮を剝ぎ、きれいに切って刺身にする↓まだ皆が眠っている朝早に市場へ出かける」と、一人の魚屋さんだけについても、その働き、ご苦労に気づきます。代償に支払いをしているのですが、それは金銭の尺度を越えた部分。ただの外交辞令のお礼ではなく、「朝早くからの魚屋さんの働きによって、お刺身を手渡していただける」ものと、「ありがとう」が心に響きます。このように、子供への話の中で、今まで意識しなかった部分、背景にある過程までが感じられ、心がパアッと広がり、感謝を含んだ優しい気持ちになるひとときがあります。

また、挨拶にしても、子供がいると自然にできることに、ふと、気づきます。独身時代や、あるいは用事のため一人で歩いている時には、これほどまでスムーズに口から挨拶が出てきません。子供がいる、子供を意識することで、心は広がっているようです。

二　内側の世界と調和する

大自然、生命を感じる――生きている喜び

母親という立場は、「生命そのもの」を感じる機会に恵まれています。胎児は、受精後三二日目～四〇日目にかけての八日間の間に、魚類→両生類→爬虫類→哺乳類と系統発生し、何億年の進化の歴史を通ってきます。五週～七週にかけてシッポがなくなり、頭と胴、手足の区別がつくようになり、目、鼻、耳なども形を整い、人間らしくなっていくのです。だんだんと大きくなるお腹、妊娠後期にかけては、時折、胎児がお腹の中で動く。自分の中に小さな生命の存在が実感されます。いよいよ、出産ですが、私自身、神秘的で強烈な感動に包まれたことが忘れられません。母と子がともに最初にこなす大仕事「出産」を乗り越え、初めて赤ちゃんを見た瞬間、「何時間も大変だったでしょう、こんなに小さな赤ちゃん――、よく頑張って出てきてくれたね。ありがとう。私のもとに来てくれたのね――本当に、ありがとう」と、感激で涙があふれました。それまでは、精子と卵子が受精し、細胞分裂を繰り返し、様々な臓器が作られ、やがて生まれてくるという生物学的な知識のもとで、あたりまえのように思っていたものの、自分の中から実際に出て来た、新しい生命を目の当たりにした時、とても不思議で、神

様からプレゼントされたように感じられました。大きな力、それは「神」という言葉が合う。生命という素晴らしいプレゼントをいただき、感謝の念と、喜びに満たされたのでした。その喜びとは、とても大きく、広いもので、それまでの人生の中で目標を達成した時の喜びが、ちっぽけで薄っぺらいように思われてしまいました。この世に誕生したばかりの赤ちゃんを目の前にして、生命の崇高さ、偉大さ、そして、その背後にある神ともいえる大きな力が直感されたのでした。

月日が経つにしたがって、今までお母さんの手助けを必要としたことが、ある日、急にできるようになったりして、乳児から幼児にかけての急激な成長に喜びと、その秘められた能力に、ふと畏敬の念さえ抱くことがあります。こうした我が子を通じて、生命の息吹を味わうとともに、また、自然の生命も身近に感じられます。公園や庭先で、子供は、じっと何かを見ていることがよくあります。それにつられて、親も一緒になって見入ってしまいます。「アリは、自分より大きいものでも運んでいる――」「てんとう虫は、こんなに小さいのに自由に飛んだり移動している。人間には大きなロボットでさえ、粗雑な動きにしか造れないのに――」「公園に咲いている小さな草花は、枯れては、また、生え、毎年、同じように繰り返していく――それは、自分という生命が誕生する以前にも、また亡くなっても、この自然の摂理は続いていくのか――」

一センチメートルに満たないその動きや作りの緻密さ精巧さ、あるいは繰り返される生命の悠久さを目の前にして、ふと、人間はちっぽけな存在、様々な生命のほんの一部であることを実感させられます。全ての生命を包む大きな自然、途方もない大きな力への気づき。そうした大きな恵みに支えられていると思うと、心の奥深くから喜びがわき上がり、おのずと謙虚な気持ちと感謝の念が生じ、心が満たされてきます。整備された道路には車があふれ、家庭では電化製品に囲まれ、住まいも高層マンションへと移りつつある昨今では、人間の有能さ、ややもすれば万能さを錯覚してしまいます。自然に目を向けることも忘れてしまいます。人工に囲まれた生活の中、お母さんは、お子さんに導かれて童心に帰り、日頃忘れかけていた自然や生命を味わう機会に遭遇するのです。

こうした「自然の大きな流れに守られ、生かされている――」という人間を超越した大いなる力を直感した経験を持つと、育児を含め日頃の生活においても、広い視野で物事を感じたり、考えたりする部分が出てきます。たとえ子供が思うようにならなくても、ふと長い目で見通したり、他の道も現れてくることでしょう。生命の力強さも感じられ、「なんとかなるさ」「大丈夫さ」と思われることでしょう。心にゆとりが出てきます。

お母さん自身が自然の神秘性を肌で感じとり、素直に感動しますと、おのずと言葉が出てきて、お子さんとの交流が生じます。その中で、お子さんも自然の様々な事象に興味を持っていき、それを知ることの楽しさを体験します。ある数学者は、「自然の不思議や神秘性を通じて、知りたいという好奇心を持つようになる子は、理数系に強くなる」と、語っています。以上をまとめますと、

【やり方】

○日常生活においても、次のようにお子さんを通じて「生命、そして、全ての生命を包み込んでいる自然」を感じてみましょう。

妊娠期＝お腹に宿る新しい命を意識してみましょう。

子育て期間中＝お子さんの成長から大きな力を秘めている生命を感じたり、あるいはお子さんと一緒に公園や庭先、散歩の途中で自然を味わいましょう。

【効果】

＊大自然に包まれていることが、おのずと意識されますので、大きな力に支えられているという安定した感じ、生かされている喜びに満たされます。

＊子育てにも心のゆとりがでてきます。

＊このようにお母さんが自然を楽しんでいますと、子供もおのずと万物の神秘性に興味をもっていき、知的好奇心が促されます。

なお、自然や宇宙が直感される合理的な方法として体系づけられているのが、瞑想法（p.133）です。ご参照ください。

「どうかこれから数ヶ月間の妊娠期間中は勿論のこと、陣痛によって始まる分娩の時も、さらには、子育てや

成人するまで続くお子さんの教育期間にあっても、常に大宇宙にあまねく存在する『生命そのもの』へと心を常に結びつけ、あらゆる事物と一体感を持ち続けてください。そうした思いは、皆さんに宿っている胎児の生命へと伝わり、その子の心も又、あらゆる人々や事物と調和して生きて行ける、尊い人間の心となって開花するはずです。これが母なる皆さんとお子さん達とが共におこなうヨーガの目指す目的地なのです」

（本書 p.14より）

あとがき

この書は、著者自らが、妊娠期、産後、そして我が子と一緒に実践し、さらにヨーガ教室の皆さんと楽しんだものをまとめました。より安産に、産後の体型や体調を整え、子供との心身の交流ができれば—との願いで「第二章　産前・産後のヨーガ」「第三章　母と子のヨーガ」「第四章　瞑想法と本読み」を記しております。

女性の場合、結婚しますと、夫と新しい家庭を築くとともに、嫁としての立場や、新しい地での近所付き合い、そして出産してからは、他のお母さんとのお付き合いなど、人間関係も多様化します。一生のうちで、最も激変する時期にあたるとさえいえるでしょう。相手との考え方の違いで、カルチャーショックにも似た、驚きや悲しみに遭遇することがあるかもしれません。そのような場合でも、お役に立つことができれば—と、第五章で「一外側の世界と調和する」を著しております。しかし、育児をしている母親は、忙しい中にも、子供を通じて自然や生命が身近に感じられる、幸せな時期でもあります。こうした素晴らしい機会を味わっていただきたい—と、同章にて「二　内側の世界と調和する」を述べております。

さて、本書を著すにあたって、日本ヨーガ・ニケタン代表の木村慧心先生に監修していただきました。木村先生は、インドの聖者、スワミ・ヨーゲシヴァラナンダ大師の直属の弟子であるとともに、インドにあるカイヴァルヤダーマ・ヨーガ大学やヴィヴェーカナンダ・ケンドラ・ヨーガ研究財団との交流もある方です。このような本場インドでの伝統的なヨーガの後継者、同時に現代科学の立場も兼ね備えた木村慧心先生に、序章の執筆さらには本文全体を確認していただきましたことで、この書が初心者の方にも気軽に見ていただける中で、ヨーガのエッセンスはお伝えできるものと思われます。

また、私自身も、二児の母、ヨーガ指導者でありながら、およそ五千年の歴史を有するヨーガを現代心理学の側面からアプローチを試みていますが、今回の執筆にも、それらの研究を基石の一つとしています。これも恩師の西山啓先生をはじめ、広島大学学校教育学部心理学研究室の諸先生方が、文献研究や相談などに、いつもあたたかく応じて下さったお陰です。

本書の刊行には、東方出版の板倉敬則氏に様ざまなアドバイスなど、大変、お世話になりました。モデルは、ヨーガ指導者の野間万里子先生と佳代子ちゃん、徹哉くん、松橋さとみ様と和樹くん、そして我が子、勇太と奈央が、また、写真撮影には、みやさこ写真館が、こころよく受けてくださいました。野坂道場、ヨーガ教室の皆さんにも貴重な報告をいただきました。また、いつも夫の一成が支えてくれました。紙面では書き尽くすことはできませんが、多くの方々との出会いの中で、本書は実ることができました。この場をかりて、厚く御礼申し上げます。最後に、読者の皆様の心の中に、その種子が発芽し、開花することを祈っております。

合掌

一九九七年十月十一日

著者　野坂　見智代

参考文献と入手しやすい参考書

ヨーガの効果

中村昭之　一九九二　日本における東洋的行法の研究展望　心理学評論　Vol.35.No1,22-24.

野坂見智代　一九九三　ヨーガに関する心理学的研究（一）―ヨーガ行法における心身の変容に関するアプローチ―　中国四国心理学会論文集第二六巻 p.79.

野坂見智代　一九九五　ヨーガと心理学―ヨーガに関する従来の研究についての概要―　中国四国心理学会論文集　第二八巻 p.81.

ポイント集

S・クヴァラヤーナンダ、S・L・ヴィネーカル著　山田久仁子訳　二〇〇八　ヨーガ・セラピー（増補版）　春秋社

ヴィヴェカナンダ・ケンドラ・ヨーガ研究財団編　真理の探求「アンヴェシャナ」統合的ヨーガ・セラピー―その科学的研究報告―　日本ヴィヴェカナンダ・ヨーガ・ケンドラ

マタニティ・ヨーガ

きくちさかえ著　二〇〇五　マタニティ・ヨーガ　安産BOOK　現代書館

森田俊一監修　二〇〇九　心と体をキレイに！　安産のためのマタニティヨーガ　ナツメ社

ウェンディ・ティーズディル著　木村慧心日本語版監修　赤星里栄訳　二〇〇六　マタニティーヨーガ（新装改訂版）　ガイアブックス

マタニティ＆産後のためのヨーガ

Berg,Vibeke　一九八三　Yoga in Pregnancy,D.B. Taraporevala Sons & Co. Private Ltd.

森田俊一著　二〇〇五　産後のヨーガ　日本マタニティ・ヨーガ協会

母と子のヨーガ

蘭香代子著　一九八九　母親モラトリアムの時代―21世紀の女性におくるCo-セルフの時代　北大路書房

番場一雄著　一九八一　母と子のヨーガ―からだと心のハー

ニー　平河出版社
平井信義著　二〇〇三　「心の基地」はおかあさん（新装版）　新紀元社
平井信義著　二〇〇五　続「心の基地」はおかあさん　新紀元社
木村慧心著　二〇二〇　インド五千年のサイコセラピー―ヨーガ療法ダルシャナ　ガイアブックス
野坂見智代　一九九四　ヨーガに関する一考察―幼児と母親による行法が心身に及ぼす影響について―　中国四国心理学会論文集第二七巻 p.56.
沖正弘著　二〇一九　沖ヨガ入門　精神が肉体を自由にできる　季節社
スワミ・ヨーゲシヴァラナンダ著　木村慧心訳　二〇〇四　実践ヨーガ大全　たま出版
スワミ・ヨーゲシヴァラナンダ著　木村慧心訳　二〇一三　魂の科学　たま出版
武田正著　一九八八　子ども操体法　健康双書　農山漁村文化協会
友永淳子著　一九八五　母と子のヨーガ健康法・入門編　総合科学出版
友永淳子著　一九八五　母と子のヨーガ健康法・実技編　総合科学出版

瞑想法

B・K・S・アイアンガー著　沖正弘訳　二〇一二　ヨガ呼吸・瞑想百科　二〇〇の写真で見るプラーナーヤーマの極意　白揚社

アーユルヴェーダ医学

クリシュナ・U・K著　二〇一九　古典から学ぶアーユルヴェーダ　幸福な人生のために　東方出版
上馬場和夫・西川眞知子著　二〇一七　新版インドの生命科学アーユルヴェーダ　農山漁村文化協会
中川和也著　一九九一　南インドの手技療法見聞記―パンチャカルマ療法とオイルマッサージ―　マニピュレーション六巻 p.52〜55.

本読み

川崎洋著　二〇〇六・〇七　イソップどうわ1・2　世界名作おはなし絵本　小学館
上村勝彦訳　一九九二　バガヴァッド・ギーター（赤68－1）岩波文庫
藤田晃著　二〇一五　バガヴァッド・ギーター詳解　東方出版
野坂見智代　一九九六　ヨーガの精神哲学が幸福感におよぼす影響―ヨーガの聖者による講演において―　中国四国心理学会論文集第二九巻 p.64.
ラマナ・マハルシ著　山尾三省訳　二〇一九　ラマナ・マハルシの教え（改訂新版）新泉社

内観法

三木善彦　一九九六　内観への誘い　第一九回日本内観学会大会―発表論文集―p.3～7.

本書全般

木村慧心著　二〇一五　ヨーガ療法とストレス・マネージメント　ガイアブックス
佐保田鶴治著　一九七三　ヨーガ根本教典　平河出版社
アニル・ヴィディヤーランカール著　中島巖編訳　二〇一四　ヨーガ・スートラ　パタンジャリ哲学の精髄　原典・全訳・注釈付　東方出版
スワミ・ヨーガスワルパナンダ著　小山芙美子訳・編　一九九三　ヨーガとからだの科学―インドの聖僧によるアーサナ、プラーナヤマ、瞑想法―　東宣出版
スワミ・チダナンダ講演　小山芙美子編　一九九三　ヨーガといのちの科学―発祥の地インドの聖者は語る―　東宣出版
一九九四年度　ヨーガ・セラピスト養成講座　テキスト一巻～一〇巻　日本ヴィヴェカナンダ・ヨーガ・ケンドラ
木村慧心著　二〇二〇　ヨーガ療法マネージメント　伝統的ヨーガにもとづくヨーガ療法標準テキスト1　ガイアブックス

木村　慧心（きむら　けいしん）
1947年 群馬県前橋市生まれ。
1969年 東京教育大学（現 筑波大学）理学部卒業後、京都大学にて宗教哲学を、インド、カイバルヤダーマ・ヨーガ大学にてヨーガ・セラピーを学び、スワミ・ヨーゲシヴァラナンダ大師のもとでヒマラヤのラージャ・ヨーガを修行。1975年 米子内観研修所を開設し、内観瞑想法でヨーガ療法を実施。
1981年 日本ヨーガ・ニケタン開設、スワミ・ヨーゲシヴァラナンダ大師より聖名（ギヤーナ・ヨーギ）を拝受して得度し、ラージャ・ヨーガ・アチャルヤ(阿闍梨)となり、ラージャ・ヨーガ指導を開始。
1987年 sVYASA／スワミ・ヴィヴェーカナンダ・ヨーガ研究所／ヨーガ大学院大学との協力の下でヨーガ療法士養成教育を開始。2019年6月 ヨーガの普及と発展に多大な貢献をした海外2名の内の一人として、第1回インド首相賞を授与される。
現在 ヨーガや内観法をもとにヨーガ療法士養成講座等の研修会、講演活動等に従事。一般社団法人日本ヨーガ療法学会理事長／日本アーユルヴェーダ学会理事／日本ヨーガ・ニケタン顧問／一般社団法人日本統合医療学会理事／米子内観研修所所長／アジアヨーガ療法協会(AYTA)代表／SVYASAヨーガ大学大学院客員教授等役職多数。 鳥取県米子市在住。
訳書に『魂の科学』（たま出版）他。また著書に『実践ヨーガ療法』、『ヨーガ療法マネージメント』、『インド五千年のサイコセラピー』監修書に『スワミ・シヴァナンダの瞑想をきわめる』、(いずれもガイアブックス)など多数。

野坂 見智代（のさか　みちよ）
1964年 広島県廿日市市に生まれる（旧姓：赤木）。
1981年 高等学校1年よりヨーガを始め、間もなく指導に携わる。1988年 木村慧心氏に師事。
1990年 sVYASAヨーガ教師・療法士養成講座（A.シュリラム氏）修了、ヨーガ療法士。
1990年 広島大学大学院学校教育研究科修士課程修了、教育学修士。
2005年より公立学校共済組合中国中央病院において統合的ヨーガ療法を導入したストレスマネジメント教育を開発し、リラクゼーション・ドック、公立学校復職トレーニングで実施。
2016年 広島大学大学院 医歯薬保健学研究科博士課程後期修了、博士。～2018年 広島県立教育センター、メンタルヘルスためのリフレッシュ体操創作チーム監修者、研究指導者。
2019年 25th World congress of the International College of Psychosomatic Medicine(第25回世界心身医学会）においてBest Poster Awardを受賞。
現在 広島大学客員准教授、広島市立大学心と身体の相談センター相談員、SVYASAヨーガ大学、中国新聞文化センター講師他。日本心理医療諸学会連合理事、日本ヨーガ療法学会理事等。博士、公認心理師、臨床心理士、ヨーガ療法士。広島県安芸郡府中町在住。
著作に『新・教職課程演習 第9巻 教育相談』石田弓他編 協同出版、厚生労働省「『統合医療』に係る情報発信等推進事業」エビデンスレポート（共著）・編者他。「母と子のヨーガ：子どもの様子と指導のポイント」（『アーユルヴェーダ研究』第28号83-88）、「A single session of an integrated yoga program as a stress management tool for school employees: Comparison of daily practice and nondaily practice.『Journal of Alternative and Complementary Medicine』vol21,444−449）など多数。

お母さんと子どものヨーガ【新装版】

1997年　12月21日　　初版第1刷発行
2021年　6月10日　新装版第1刷発行

監修者	**木 村 慧 心**
著　者	野 坂 見 智 代
発行者	稲　川　博　久
発行所	東 方 出 版 （株）
	〒543-0062　大阪市天王寺区逢阪 2-3-2
	TEL06-6779-9571　FAX06-6779-9573
装　幀	濱　崎　実　幸
印刷所	モリモト印刷（株）

落丁・乱丁本はおとりかえいたします。　　ISBN978-4-86249-409-2